KB101395

쌍둥이 섬

에서

탈출

◁ ② 소녀의 책 ▷

혼란 속에 도망치는 마을 사람들.

고막을 뒤흔드는 비명.

마을에 번진 불꽃으로 인해 하늘이 빨갛게 물들어 갔다.

지옥과 같은 광경 속에서 소녀는 맨발로 서있다.

'여기는 대체 어디지?'

두리번거리는 소녀 앞에 하얀 망토를 걸친 키 큰 남성이 나타나

피식 웃었다.

생김새는 단정하지만 불쾌하게 일그러진 입꼬리와 충혈된 눈동자에서

광기가 느껴진다.

남자가 쥐고 있는 긴 검 끝에서 붉은 피가 떨어져 땅 위로 번졌다.

'… 여기 있고 싶지 않아.'

소녀는 힘껏 내달렸다.

시야에서 나뭇가지가 뻗어 나와 마을은 순식간에 숲으로 휩싸였다.

언제부터인지 비명을 지르던 마을 사람들의 모습이 보이지 않고,

소녀는 석양이 지는 숲 속에 우두커니 서있다.

먼 곳에서 두 명의 아이가 걸어간다.

아이들은 무서운 것이라도 본 듯, 떨고 있는 것 같았다.

소녀는 반사적으로 '두 사람을 구해야 해'라고 생각했다.

하지만 발이 움직이지 않는다. 발밑을 보니 소녀의 발은 돌이 되어

땅 위에 들러붙어 있다.

소녀가 비명을 내지르자 뒷걸음질 치던 아이 한 명이 절벽에서 발을 헛디디고 말았다.

"…!"

변방의 마을이 낳은 소녀, 네네는 눈을 떴다.

'… 꿈. 또 그 꿈이야.'

무심코 가슴 위에 손을 얹어 심장 박동을 억누른다.

계단을 올라오는 발소리가 들리더니 어머니가 문을 열었다.

"네네, 아침이야. 잘 잤니?

아까 오사가 보낸 사명의 편지가 왔어."

'사명의 편지…!'

어머니는 낡은 원통을 네네에게 건넸다.

"편지를 다 읽으면 내려오렴."

일 년에 한 번, 남쪽 하늘에 떠있는 두 개의 별이 더욱 반짝이는 날,

네네의 마을에는 신이 보낸 사명의 편지가 배달된다.

변방의 마을은 신이 보낸 이 편지에 적힌 사명을

그 해에 18살이 된 소녀가 수행함으로써 마을의 평화를, 섬의 평화를 지키고 있었다.

네네는 원통의 봉인을 열고 사명의 편지를 펼쳤다.

FAQ 자주 하는 질문

Q. 퍼즐을 풀 수가 없어요. 해답은 어디에 있나요?

퍼즐이나 수수께끼의 해답이나 힌트는 책과 웹사이트에는 수록되어 있지 않습니다. 풀릴 때까지 두뇌를 최대한 사용해야 합니다.

Q. 게임 진행법을 모르겠어요.

우선 『소년의 책』 4페이지부터 적혀 있는 규칙 설명을 읽어 주세요.

귀찮다고 생각된다면 우선 『소년의 책』 가장 첫 단락 1 또는, 『소녀의 책』 가장 첫 단락 251부터 진행해주세요. 두 권의 책 중 어느 책을 먼저 진행하든 상관이 없습니다. 스토리의 첫 부분에는 단락 진행법과 어드벤처 시트 기입법이 적혀 있으니 어느 정도는 규칙을 익히며 진행할 수 있습니다. 그래도 알 수 없는 부분이 있다면 규칙 설명을 참고해 주십시오.

Q. 단서와 지시 번호를 알고 있는데도 올바른 단락으로 이동할 수 없어요.

어드벤처 시트에 지시 번호를 제대로 기입했다면 게임 진행이 막히거나 잘못된 곳으로 이동되지 않습니다. 수수께끼를 제대로 풀었는지, 숫자를 잘못 기재한 부분은 없는지, 계산에 실수가 없었는지 다시 한 번 확인해 보세요.

Q. 마지막 이야기까지 모두 읽으면 어떻게 하나요?

두 권의 책을 모두 읽고 마지막 장소에 도착했다면 특설 웹사이트에 접속해 주세요. 그곳에서 관문을 통과하면 엔딩 스토리를 읽을 수 있습니다.

쌍둥이섬에서 탈출 특설 웹사이트 : www.icoxpublish.com/dgamebook/02

Q. 부록을 잃어버렸어요.

죄송합니다. 잃어버린 부록을 다시 보내드리거나, 부록만을 별도로 판매하지는 않습니다. 만약, 구매 당시에 부록이 없거나 불량이 발견되었다면 출판사로 연락 주시기 바랍니다.

Q. 스포일러를 공개해도 되나요?

스포일러는 타인의 즐거움을 빼앗기 때문에 절대로 해서는 안 되는 행위입니다. 스포일러 및 공략법에 대해서 인터넷 상에 올리지 말아 주세요.

쌍둥이 섬에서 탈출

② 소녀의 책

☞ 두 권의 책 중 어느 책을 먼저 진행하든 상관이 없습니다.
단, 『소년의 책』 앞에 있는 규칙 설명을 정독한 다음 게임을 시작해 주세요.

☞ 이야기 진행이 막히게 되면 『소년의 책』을 진행해 보세요.

변방의 마을이 낳은 딸, 네네여.
이 섬의 미래는 너에게 달려있다.
섬에 잠들어 있는 네 개의 오브를 찾아라.
오브의 인도를 받아 사명의 증거를 손에 넣으면,
모든 기억은 되살아나고 쌍둥이 섬에 빛이 비치리라.

편지를 읽은 네네는 소중한 듯 편지를 접어, 부적 속에 넣었다.
그리고는 방을 빠져나와 아래층에서 걱정되는 듯 기다리는 미트라에게 여행을 떠나겠다고 했다.
"어머니, 오브를 찾으러 떠날게요."
"오브…. 역시 신에게 무슨 일이 있는 거야."
미트라는 선반 위에 장식되어 있는 남자의 사진을 바라보았다.
"아빠가 말씀한 대로야. 네네, 이 쌍둥이 섬에서 일어나고 있는 변화를 너도 알고 있지?"
네네는 조용히 고개를 끄덕였다.
"아빠는 변화의 원인을 찾기 위해서 집을 나간 뒤로 돌아오지 않았어."
미트라는 그렇게 말하고는 네네의 오른손을 살포시 어루만졌다. 돌처럼 딱딱하고 차가운 감촉만이 느껴졌다.
"네 손도 점점 딱딱해지고 있구나. 이 석화병을 고칠 수 있는 약초는 섬 밖에서만 구할 수 있어. 돌풍이 불어 닥친 탓에 배가 뜨지 않은지 벌써 2주가 되었네. 이대로 시간이 지나버리면 이 마을 사람들은 모두 돌이 되어버릴 거야. 사명의 편지는 신의 계시야. 네가 사명을 이룬다면 분명 이 변화도 고쳐질 거야."
미트라는 책상에 펼쳐 둔 지도를 네네에게 건넸다.
"자, 이 지도를 가지고 가렴. 떠나기 전에 오사에게 인사하고 가야 한다. 마을 밖의 일도 오사라면 잘 알고 있을 거야."

【소녀의 기록란 1에 '약초를 구하기 위해 섬에서 탈출한다', 기록란 2에 '4개의 오브를 찾는다'라고 기입】
　☞ 이런 지시가 있는 경우, 어드벤처 시트 뒷면 "소녀의 기록"의 해당하는 번호에 내용을 기입합니다.
【MAP 1을 펼친다.】

【MAP 1의 '오사의 집'에 455, '미트라의 집'에 280이라고 기입】

☞ 이런 지시가 있으면 펼친 지도의 각 장소에 숫자를 기입해 주세요. 소녀 쪽의 지시는 빨간색 빈칸 안에 기입합니다.

☞ 지금부터는 자유롭게 이동해도 좋습니다. 지도에 기입한 숫자가 그 장소의 단락 번호입니다. 예를 들어 '오사의 집'에 가고 싶다면 455번 단락으로 이동합니다. 소년 쪽에서 기입한 녹색 칸의 단락에는 소녀가 갈 수 없습니다.

252 ⤴ 442

"**소**중한 오브를 남에게 맡기라니…, 그럴 수는 없어요."

"그렇다면 여기를 지나가는 지름길을 가르쳐줄 수 없을 것 같구나."

"할아버지는 치사해요!"

"허허허…, 당돌한 아가씨로군."

"지름길이란 건 뭔가요?"

"동쪽 다리로 이어진 호수쪽 지름길과 남쪽 다리로 이어진 초원쪽 지름길이 있지. 오브를 내게 준다면 호수쪽 지름길을 가르쳐 주마."

253 ⤴ 370

네네는 삼나무 기둥에 새겨진 수식을 발견했다.

$$\text{─} \, ♩ \, / = 5$$

'누군가와 여기서 함께 놀았던 적이 있는 것 같은데….'

【소녀의 기록란 24c에 '삼나무 한 그루 ─ ♩ / = 5'라고 기입】

254 ⤴ 440

네네는 가게를 차린 떠돌이 상인들에게 오브에 관해 물어보았다. 하지만, 도움 될 만한 정보는 없었고 어떤 떠돌이 상인이든 같은 대답을 할 뿐이었다.

"여기도 조금 전만 해도 활기 넘치는 곳이었는데, 북쪽 검문소가 봉쇄된 뒤로 교역이 완전히 끊어졌어."

【MAP 2의 '검문소'에 325라고 기입】

255

네네는 마을의 작은 교회에 찾아왔다. 제단 안쪽에는 천사의 조각상이 모셔져 있고, 수녀가 기도를 드리고 있다.

➡️ **수녀와 이야기 한다. → 279로**

➡️ **단서 ⟨구⟩가 있는 경우 → 255 + 지시 번호 ⟨구⟩**

256 ↪ 345

네네는 마을에 올 때 봤던 산 정상의 건물에 관해 물어보았다.

"저건 벼랑 위의 성당이에요. 성당 뒤편이 깎아지른 절벽이라서 그렇게 부르고 있어요. 로즈레이 기사단의 본거지죠."

【MAP 4의 '벼랑 위의 성당'에 260이라고 기입】

257 ↪ 328

서쪽 창에서 비추는 햇빛이 거울에 반사되어 남쪽 벽의 한 점을 가리키고 있었다.

'… 여기다!'

네네는 빛이 비친 곳의 석벽을 밀어보았다. 그러자 등 뒤의 바닥이 움직이더니 아래로 이어진 계단이 나타났다. 네네는 고동치는 심장을 억누르며 계단을 내려갔다.

그 곳은 꼭 비밀의 방처럼 보였다. 한쪽 편에 위치한 제단에는 희미한 빛을 발하는 구슬이 놓여 있다.

'이거야! 이게 오브…, 예쁘다. 그 오두막에 사는 할아버지께도 보여 드리자.'

【단서 ⟨민⟩에 '안식의 오브', 지시 번호 ⟨민⟩에 89라고 기입】

드디어 무대에 오를 시간이다.
네네는 의상을 입고 무대 뒤에
대기했다. 연주가 시작되고 단장
이 네네에게 신호를 보냈다.

네네는 음악에 맞춰 순조롭게
춤추기 시작했지만 익숙하지 않
은 무대에 긴장한 탓인지 금세
박자를 놓치고 말았다.

그 모습을 지켜보던 비비가
고통을 참으면서 화려한 스텝을
선보였다. 사전에 합의되지 않
은 동작이었다. 비비는 그 발동
작으로 무언가를 전하려는 것처
럼 보였다.

네네는 깜짝 놀랐다.

'서로 짝을 이루는 스텝을 연
결하면….'

➡ 수수께끼를 풀어서 나타나는
   숫자에 해당하는 단락으로

네네는 남쪽 창문에 놓여 있는 낡은 해시계를 보았다. 해시계의 문자판은 떨어져 있었다.

'이래서야 지금이 몇 시인지 알 수 없겠어.'

힘난한 산길을 올라 벼랑 위의 성당에 도착했다. 성당 벽과 지붕, 창틀에는 소용돌이 모양이나 나선 모양, 십자가와 펜타그램 조각이 새겨져 있다.

문 앞에는 창을 들고 있는 근위병 두 명이 꼿꼿이 서서 주위를 경계하고 있다.

➡ 성당 안으로 들어간다. → 389로
➡ 단서 **소**가 있는 경우 → 260 + 지시 번호 **소**
➡ 단서 **시**가 있는 경우 → 260 + 지시 번호 **시**
➡ 단서 **차**가 있는 경우 → 260 + 지시 번호 **차**

좁은 통로 끝의 작은 방에서는 맑고 푸른 물이 샘솟는다.

➡ 단서 **너**가 있는 경우 → 261 + 지시 번호 **너**

추시계를 지나 2층 빈자리에 앉았다. 종업원이 가져다준 우유를 마시려고 했지만, 컵을 제대로 들 수 없었다. 석화병이 진행되고 있는 것 같았다.

'…힘들게 찾은 두 개의 오브…. 대체 어디로 가버린 걸까….'

네네는 한숨을 쉬고는 평화롭던 변방의 마을을 떠올렸다.

도움이 필요한 사람이 있으면 언제든 도와줘야 한다. 그 말은 어머니인 미트라가 항상 입버릇처럼 하던 말이었다.

네네는 어머니의 얼굴을 떠올리고 뜨거운 우유를 단숨에 들이켰다.

263 ↱ 432

좁은 통로를 지나자 오른쪽에 작은 방처럼 보이는 공간이 있었다.

자세히 보니 땅 위에 뼈가 여기저기 나뒹굴고 있다. 네네는 횃불을 들고 머리 위를 비추어 보았다. 어쩐지 이곳은 동굴 입구에 있던 커다란 구덩이의 바닥인 듯싶었다. 발밑에 널브러져 있는 뼈는 구덩이 아래로 떨어져 목숨을 잃은 사람들의 것일까?

'명복을 빕니다…. 잠시 실례합니다. 이 방에는 오브가 없을까…?'

네네는 방 구석구석을 비추며 살펴보았다. 방 한구석에서 꺼림칙하게도 붉은 물이 솟아 나왔다.

'…빨리 오브를 찾아서 이곳을 빠져나가고 싶어….'

➡ 단서 **너**가 있는 경우 → 263 + 지시 번호 **너**
➡ 단서 **노**가 있는 경우 → 263 + 지시 번호 **노**

264 ↱ 285

바위 뒤에 숨어 아지트의 모습을 살폈다. 문지기처럼 보이는 사람은 없고 인기척도 느껴지지 않는다.

"귀여운 아가씨가 길을 잃었나 보구만."

네네의 머리 위에서 웃음소리가 들리더니 나무 위에서 세 명의 산적이 뛰어내렸다. 네네는 무심코 한걸음 물러났지만, 산적 중 한 사람이 여자임을 알아차리고 자신의 눈을 의심했다.

"귀여운 스파이로군. 내 방으로 끌고 오도록 해!"

➡ 두목의 방으로 끌려간다. → 301로

265

우물을 중심으로 돌 블록이 방사형으로 놓인 광장에서는 젊은 여성들이 서서 이야기를 나누고 있다. 광장 주변은 여관들이 몰려 있으며, 해안에 있는 가옥에 비하면 큰 건물이 많다.

➡ 젊은 여성들에게 말을 건다. → 384로
➡ 단서 **디**가 있는 경우 → 265 + 지시 번호 **디**
➡ 단서 **키**가 있는 경우 → 265 + 지시 번호 **키**

259 260 261 262 263 264 265

"그만둬! 오브를 줄게."

네네는 오브를 남자에게 건넸다.

"음…. 흐흐흐…. 이제 억만장자가 됐어."

강도는 오브를 받아 들고는 줄행랑쳤다. 혹시 암시장에서 팔리기라도 하면 오브의 소재를 더 이상 알 수 없겠지. 네네는 신의 사명을 완수하는 것을 단념할 수밖에 없었다.

GAME OVER

네네는 삼베로 짠 햇빛 가림막을 젖히고 오사의 집으로 들어갔다.

오사는 눈을 감고 명상에 빠져있다.

"네네가 왔구나…."

"네. 저예요."

"해가 뜰 때 신에게 기도를 드렸는데, 역시 신의 목소리는 들리지 않았단다…. 신에게 무슨 일이라도 생긴 게야…."

"오브를 찾기 위해 여행을 떠나기로 했어요. 오브는 대체 어떤 힘을 가진 걸까요?"

"그건 나도 잘 모른단다. 안식의 탑에 있는 비밀의 방에 오브가 있다는 이야기를 들은 적이 있지."

"안식의 탑이요?"

"음. 너는 야코피를 따라 이 마을로 온 뒤로 단 한 번도 마을 밖으로 나가본 적이 없구나. 안식의 탑으로 가려면 짐승의 숲을 지나가야 한다. 신의 목소리가 들리지 않게 된 뒤로 짐승들은 나날이 흉폭해지고 사람들을 해치기도 했지…. 누군가 안식의 종을 울리기 전에는 짐승들이 조용해지지 않을 거야."

"…일단 숲으로 가볼게요. 어디에 있는지 알려 주세요."

"음. 짐승들이 조용해지기 전에는 절대로 숲속으로 들어가서는 안 된다…."

【MAP 1의 '짐승의 숲'에 395, '절벽'에 475라고 기입】

【소녀의 기록란 3에 '누군가 안식의 종을 울리기 전에는 짐승의 숲을 지날 수 없다'고 기입】

268 ↪ 470

네네는 얀카에게 인사를 하고 힐다에 대해서 물어보았다.

"그 아이는 불쌍한 아이란다…."

얀카는 어두워진 시선을 무릎 위에 올려둔 두 손 위로 떨어뜨렸다.

"신의 사명을 받아 오브를 찾고 있어요. 이 마을에 있던 힐다가 오브에 대해서 알고 있었던 것 같아요…."

"오브…, 그렇게 부르던 것이 있었을지도 모르겠구나. 광산에서는 희귀한 것이 발견되고는 했단다. 힐다가 이 마을에 있었을 때는 나를 대신해서 힐다가 그런 물건들을 관리했었지. 그 아이가 그렇게 되어 버리다니…."

"힐다는 극단을 그만두고 이 마을로 돌아왔나요?"

"…그 아이는…, 산적이 되어 버렸단다…."

【단서 **지**에 '산적 힐다', 지시 번호 **지**에 48이라고 기입】

269 ↪ 340

"배가 뜨지 않나 봐요?"

네네가 뱃사람에게 물었다.

"맞아. 이런 풍랑에는 도저히 배를 띄울 수 없지. 요전에 남쪽 연안에 불어 닥쳤던 회오리는 특히 강력해서 어떤 나라의 여객선도 난파되었다고 하지 아마?"

270

햇빛이 비치지 않는 골목을 지나 바닷가로 빠져 나오면 사람의 발걸음이 뜸해진 암시장이 있다.

조그만 손수레 위에 늘어선 잡동사니 같은 상품을 어딘가 초라한 행색의 손님들이 구경하고 있다.

'왠지 이런 곳에서 오브에 대한 정보를 얻을 수 있을 것만 같아.'

➡ 가게를 둘러본다. → 306으로

➡ 단서 **키**가 있는 경우 → 270 + 지시 번호 **키**

266 267 268 269 270

271 ➦ 386

네네는 문을 열었다. 그곳은 부엌처럼 보였다.

➡ 오른쪽 그림을 참고해서 탐색하라.

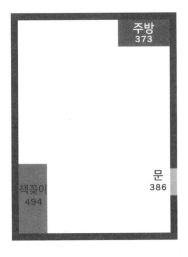

272 ➦ 316

3층으로 올라간 네네는 눈이 동그래졌다. 수많은 거울이 다양한 방향으로 늘어서 있었다.

'이 거울은…? 오브가 있는 비밀의 방과 무슨 관련이 있는 걸까…'

➡ 아래 그림을 참고해서 탐색하라.

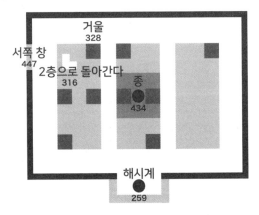

273 ➦ 484

탁자 아래에는 작은 종잇조각이 떨어져 있었다. 어떤 기호가 적혀있는 듯했지만 무슨 뜻인지 알 수 없었다.

➡ 단서 **처**가 있는 경우 → 273 + 지시 번호 **처**

274 ⤷ 313

제단에는 종교화가 걸려 있고 촛대 두 개가 놓여 있을 뿐, 특별히 이상한 점은 없었다.

275

네 개의 오브는 산속 마을의 북동쪽, 깎아지른 듯한 바위산으로 네네를 이끌었다. 네네가 오브를 가져다 대자 바위산이 무너지고 터널이 나타났다. 터널을 빠져나온 곳에 바람에 풍화된 비석이 있고, 그 곳에는 다음과 같이 조각되어 있다.

마법의 주문 ENTER

비석 앞으로는 초원이 펼쳐져 있고 멀찍이 떨어진 곳에 거대한 돌이 원을 그리듯이 늘어서 있는 것이 보인다.

【MAP 5의 '원형 거석'에 275라고 기입】

【소녀의 기록란 21에 '마법의 주문 ENTER'라고 기입】

➡ 거석에 대해서 알아본다. → 376으로

➡ 단서 **티**가 있는 경우 → 275 + 지시 번호 **티**

276 ⤷ 325

"여기는 지나갈 수 없나요?"

"북쪽 마을에 사는 수장의 명령으로 남쪽에서 온 사람은 지나갈 수 없다. 이곳을 지날 수 있는 건 기사의 증거를 가진 자뿐이지."

"기사…? 절벽에서 부상을 당한 시몬을 말하는 건가요?"

"오오, 기사님을 만났는가. 그렇다면, 이제 곧 이곳으로 오시겠지."

"글쎄요…, 그 사람 심한 방향치라서…."

"기사의 증거를 가진 자가 이 검문소를 통과할 때까지 봉쇄를 해제할 수 없다."

271
272
273
274
275
276

네네는 오사의 충고를 무시하고 짐승의 숲을 헤치고 들어갔다.

어지럽게 도발하는 새들의 울음소리, 땅이 울릴 듯한 맹수의 포효, 먹잇감이 된 동물의 숨통 끊어지는 비명에 마음이 혼란스러워진 네네는 몸이 경직되었다.

'이렇게 심할 수가…, 역시 섬의 변화가 심상치 않은 게 틀림없어…'

끔찍한 분위기에 넋이 나간 동안 정면의 수풀에서 입 주변을 붉은 피로 물들인 늑대가 나타났다. 먹잇감을 금방 먹어 치워 배가 부른 상태에서도 홀린 듯이 표적을 노리고 있는 것이다. 날카로운 송곳니를 드러내고 충혈된 눈이 번득였다.

네네는 늑대를 자극하지 않도록 조심하며 천천히 뒷걸음질쳤다.

'이 숲을 빠져나가는 건 힘들겠어!'

더 이상 늑대가 다가오면 도망칠 수도 없게 된다. 그 사실을 깨달은 소녀는 숲 입구로 달아날 수밖에 없었다.

"그럼, 이게 좋겠어요."

"역시 화려한 게 좋겠구나! 여기에 붙어 있는 보석은 가짜지만 옷감은 좋은 것을 썼으니까! 자, 가져가거라."

【단서 **비**에 '화려한 의상', 지시 번호 **비**에 11이라고 기입】

네네는 기도를 마친 수녀에게 말을 걸어 이 마을 주변에 관한 정보를 물어보기로 했다.

"마을 북서쪽에는 지질학을 연구하는 분이 있어요. 뭐든지 알고 있기로 유명하지만 조금 기분파이기도 하죠. 희귀한 돌이나 흙을 가져가면 좋아할 거예요."

【MAP 2의 '지질학자의 집'에 425라고 기입】

280

네네를 길러준 어머니, 미트라의 집은 마을 서쪽, 해안을 따라 난 언덕 위에 있다. 미트라가 벽에 그린 선명한 액막이용 눈동자가 바다를 바라보고 있다.

➡ 단서 🐗가 있는 경우

　→ 280 + 지시 번호 🐗

☞ 다른 단락에서 어드벤처 시트의 "단서"에 내용, "지시 번호"에 숫자를 기입하라는 지시가 나타납니다. 이러한 내용이 기입되어 있다면 지시 번호를 이용해서 다른 단락으로 갈 수 있습니다. 예를 들면, 단서 🐗에 기입된 내용이 있는 경우, 이 단락의 숫자(280)에 지시 번호 🐗를 더한 숫자에 해당하는 단락으로 이동할 수 있습니다.

☞ 단서를 갖고 있지 않은 경우, 이 단락 번호를 메모해 두었다가 단서를 찾으면 다시 이 단락으로 돌아올 것을 추천합니다.

☞ 『소년의 책』에서 입수한 단서는 『소녀의 책』에서 사용할 수도 있습니다. 이야기 진행이 막히게 되면 『소년의 책』을 진행해 보세요.

281 ↩ 498

"그나저나, 해저 동굴에는 가 보았는가?"

"아니요. 어디에 있나요?"

"이 마을에서 해안선을 따라 북동쪽으로 가면 있단다. 한 번 가보는 게 좋을지도 모르겠구나. 그리고 여기에서 남쪽으로 가면 인도의 사당이 있는데, 그 서쪽에는 죄인을 가둬 두던 유배섬이 있지. 지금은 아무도 없겠지만 말이야."

【MAP 5의 '해저 동굴'에 300, MAP 6의 '인도의 사당'에 450이라고 기입】

네네는 언덕 정상에 있는 바위에 새겨진 수식을 발견했다.

$$\diagdown \quad \textleft(.right)\mkern-2mu \times = 9$$

'내가 이 언덕 정상에서 춤을 춘 적이 있는 것 같아…'

【소녀의 기록란 24d에 '언덕 정상 $\diagdown$ $\textleft(.right)$ $\times = 9$'라고 기입】

네네는 바다를 바라보았다. 하늘에는 먹구름이 가득하고 연안에는 거친 풍랑이 일고 있다. 파도가 높다.

'…저게 뭐지?'

해변에서 30m 정도 떨어진 물결 위로 무언가 떠올랐다. 눈을 가늘게 뜨고 봐도 잘 보이지 않는다.

갑자기 등 뒤에 서 있던 3개의 뱃사람 조각상이 빛났다. 네네가 깜짝 놀라 조각상에 다가서자, 어딘가에서 목소리가 들려왔다.

"…저것을 주우시오…. 당신의 여행길에 필요한 것입니다."

"다…, 당신들이 말한 건가요? 주우라니…, 이렇게 파도가 높은데, 빠지고 말 거예요."

"괜찮습니다…. 우리가 알려준 대로 하면…, 맨 처음에 달을, 다음에는 태양을, 마지막에는 별을 맞추시오. 길은 우리 셋이 가리키고 있겠습니다…."(다음 페이지 참고)

➡ 수수께끼를 풀어서 나타나는 단락으로

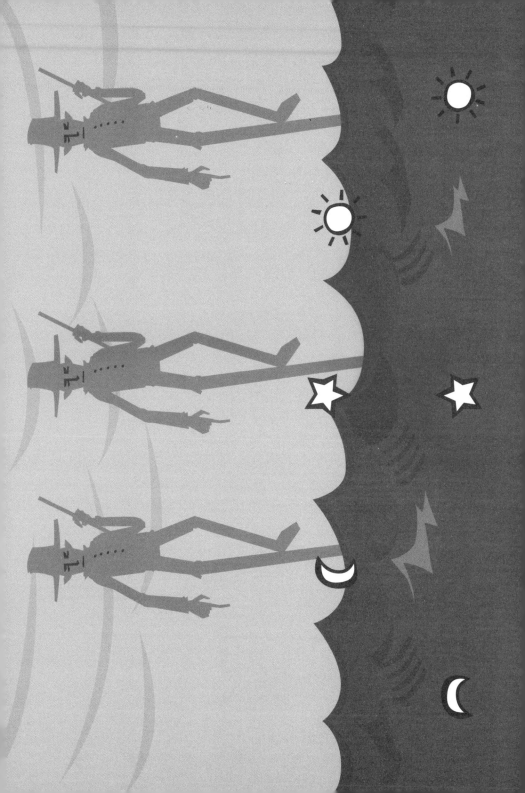

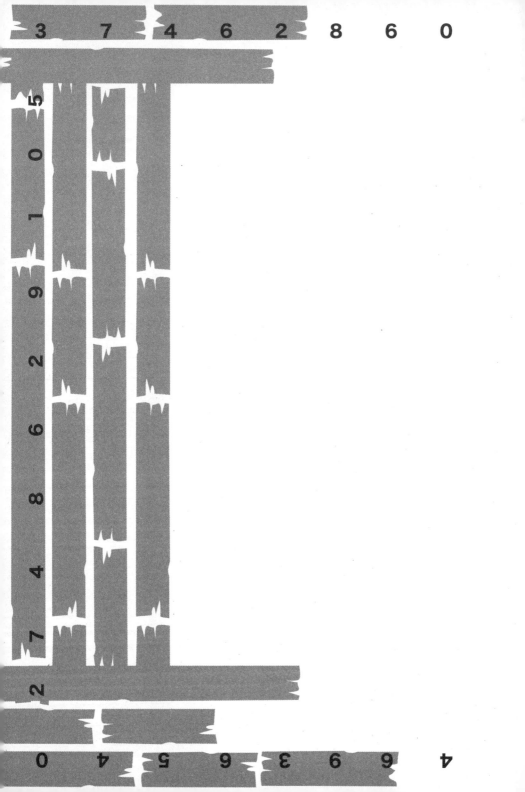

금방이라도 울음을 터트릴 것만 같은 소녀를 본 네네는 그냥 지나칠 수가 없었다.

"저, 이 아이가 무슨 잘못이라도 했나요?"

술집 주인은 핏줄을 세운 얼굴로 네네를 바라보면서 말했다.

"이러쿵저러쿵 할 것 없어! 이 추시계의 수리를 맡겼는데 오히려 더 망가뜨려 버렸어!"

시곗바늘이 엄청난 속도로 빙글빙글 돌고 있다.

"이 꼴을 만들어 놓다니…. 이 시계는 말이야 몇 대 전부터 내려오는 이 술집의 상징이라고. 시간을 알려주는 부드러운 음색을 들으러 손님이 찾아올 정도란 말이다!"

네네는 1층의 떠들썩한 모습을 흘깃 보고는 아무도 듣고 있지 않을 것 같다고 생각했지만, 말로 표현하지는 않았다.

"어쩌다 이렇게 망가져 버린 거야?"

네네는 소녀의 어깨에 손을 올리고 상냥하게 물어보았다.

"부모님에게 배운 나사 조절법을 깜빡해서 엉망이 되어 버렸어…."

소녀는 아직 견습 중인 시계 수리공인 것 같았다. 그 말을 남긴 소녀가 나사 조절법 계산식이 적힌 메모를 네네에게 건네고는 울음을 터트려 버렸다. (아래 그림 참고)

➡ 수수께끼를 풀어서 나타나는 숫자에 해당하는 단락으로

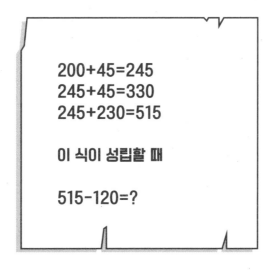

200+45=245
245+45=330
245+230=515

이 식이 성립할 때

515-120=?

285

네네는 산 정상에 있는 사당에서 보았던 풍경과 지도에 의지해서 산적의 아지트를 찾아 나섰다. 동물들만 다니는 길처럼 좁은 오솔길을 빠져나가자 숲속에 지어진 아지트가 나타났다.

➡ 동태를 살핀다. → 264로

➡ 단서 **커**가 있는 경우

　　→ 285 + 지시 번호 **커**

286 ⤴ 261

파란색 비커에 샘솟는 파란색 물을 담았다.

'이게 8㎖야.'

【소녀의 기록란 6b에 '파란색 비커 8㎖'라고 기입】

➡ 지하 2층의 지도로 돌아갈 경우 → 432로

287 ⤴ 500

카이는 한 그루의 삼나무에 올라 네네에게 손을 뻗었다. 네네는 카이의 손을 잡고 삼나무 위로 올라 함께 마을을 바라보았다.

288 ⤴ 263

빨간색 비커에 샘솟는 빨간색 물을 담았다.

'어디 보자…, 10㎖ 정도 되는 것 같아.'

【소녀의 기록란 6a에 '빨간색 비커 10㎖'라고 기입】

➡ 지하 2층의 지도로 돌아갈 경우 → 432로

289 ⤴ 353

네네는 바로 옆의 감옥방을 들여다보았다. 바닥에는 크게 '서'라고 적혀 있다.

290

어촌에서 서쪽 초원을 지나면 붉은색 아치로 된 나무다리가 보인다. 동쌍둥이 섬과 서쌍둥이 섬을 이어주는 유일한 길이다.

네네는 문득 북쪽 바다를 바라보았다. 섬을 둘러싼 풍랑은 점점 반경을 좁히며 섬을 포위하고 있는 것 같았다. 세찬 바람에 먹구름이 일렁인다. 그 불길한 바람이 불 때마다 네네의 석화병이 악화되는 듯했다.

오른쪽 손바닥을 들여다보며 천천히 손가락을 움직인다. 손가락에서 삐걱하는 소리가 났다.

'이…, 이제 더는 시간이 없어. 빨리 오브를 모두 찾아야만 해….'

➡ 다리 근처까지 가본다. → 419로

➡ 단서 **바**가 있는 경우 → 290 + 지시 번호 **바**

291 ↪ 330

여관으로 들어가 주인에게 숙박료를 물어보았다.

"1박에 조식 포함으로 80릴이에요. 빈 방은 이제 하나밖에 남지 않았답니다."

도저히 네네가 감당할 수 있는 금액이 아니었기 때문에 네네는 미소를 띠며 여관을 나왔다.

"이런 곳에서 묵어 보고 싶어…."

292 ↪ 435

네네는 기척이 들린 쪽의 수풀로 눈을 돌렸다.

"누군가 있어요?"

대답이 없다. 네네는 수풀을 헤쳐 보고는 저도 모르게 비명을 질렀다. 수풀 속에는 끔찍한 모습의 괴물이 숨어 있었다. 얼핏 보면 인간의 형상을 하고 있지만, 머리가 없고 그 대신 몸통에 얼굴이 붙어 있다.

"…네네…."

네네는 너무 놀란 나머지 뒤로 넘어질 뻔했다. 분명 잘못 들은 말은 아니다.

괴물은 확실히 자신의 이름을 불렀다.

"너…, 너는…, 사람이야?"

"…나는…, 나는 누구일까? 이름은…, 뭘까…?"

괴물은 약간 곤란하다는 표정을 짓고는 수풀 속으로 사라져 버렸다.

네네는 꿈이라도 꾼 듯한 기분으로 멍하니 그 자리에 서 있었다.

'대체 지금 그건 뭐였을까…?'

293 ↱ 446

네네는 동굴 안에 있는 제단을 발견했다. 벽에는 퍼즐 모양의 조각이 새겨져 있고 3개의 보석이 끼워져 있었다.

➡ **보석을 빼낸다.** → **309로**

294 ↱ 420

선명한 무늬의 마룻바닥 모양이다. 네 모퉁이에 작은 짐승 장식품이 놓여 있다.

'바닥 모양이 멋져…. 하지만 이런 데 정신 팔고 있을 시간이 없어. 분명 오브는 탑 안의 비밀의 방에 있다고 오사가 말했는데….'

295

예배당 옆으로 난 오솔길을 따라 북쪽으로 향하자 바닷가 초원에 묘지가 있었다. 힐다는 그 곳에 있었다.

"네네…."

"힐다! 찾고 있었어요."

네네가 사정을 설명하고 원형 거석에서 함께 춤을 춰줄 수 있는지 부탁했다.

"그렇게 하면 내 죄를 씻을 수 있을까?"

힐다는 묘지를 바라보고 중얼거리더니 네네를 바라보고 빙긋이 웃었다.

"네네, 나를 그곳으로 데려다줄 수 있겠어? 다시 한 번 춤춰보고 싶어."

【단서 터에 '춤추는 힐다', 지시 번호 터에 48 이라고 기입】

296 ➡ 405

"가장 오래된 기억…, 비를 맞으며 업혀 있는 기억인가."

"그대를 업고 있는 사람은 그대의 부모님인가?"

"저를 키워준 아버지예요. 제 친아버지는 몰라요. 그때, 저는 머리에서 피를 흘리고 있었고…."

"…그다지 좋은 기억은 아닌 듯싶구나. 분명 좋은 기억도 어떤 계기로 인해 생각날 게다. 지금은 잠시 잊고 있을 뿐이야…."

297 ➡ 386

약 선반에는 다양한 약이 진열되어 있고 하나하나 라벨이 붙어 있다.

> 사랑의 묘약 LOVE=210
> 독약 POISON=210
> 환영을 보는 약 VISION=170

【소녀의 기록란 9b에 'LOVE=210 POISON=210 VISION=170'이라고 기입】

298 ➡ 265

마을 사람들은 기사가 도착한 사실에 기뻐하며 이제 안심할 수 있다고 입을 모아 이야기했다.

"그런데 기사님은 검도 방패도 갖고 있지 않았어…."

"그러고 보니 어딘가 조금 이상하긴 했어. 짐이라고는 작은 가방뿐이었으니까."

299 ➡ 326

➡ 오른쪽 그림을 참고해서 탐색하라.

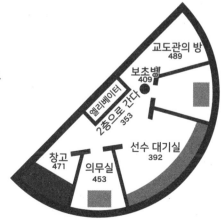

깎아지른 절벽 사이에 숨겨진 바위들이 많아 네네는 해저 동굴을 찾는데 고생했다. 조심스럽게 바위를 내려오자 어두운 곳으로 이어진 동굴 입구가 입을 벌리고 서 있다.

➡️ 동굴로 들어간다. → 462로

➡️ 단서 **하**가 있는 경우 → 300 + 지시 번호 **하**

---

301 ↩ 264

네네는 여산적의 방에 던져졌다.

"왜 이런 곳에 숨어든 거지? 기사단의 스파이치고는 지나치게 귀여운걸."

"오브를 찾기 위해 여행 중이예요."

"그런 게 여기 있을 리 없잖아. 이곳을 들킨 이상, 불쌍하게도 너는 이제 아무 데도 갈 수 없다. 여기에서 지낼 각오를 해 두도록 해."

➡️ 단서 **지**가 있는 경우 → 301 + 지시 번호 **지**

---

302 ↩ 386

계단을 오르자 마물이 앉아 있던 대리석 의자 바로 옆으로 빠져나왔다.

➡️ 단서 **무**가 있는 경우 → 302 + 지시 번호 **무**

---

303 ↩ 442

네네는 세 개의 오브를 신선에게 맡겼다.

"네 번째 오브를 찾으면 이곳으로 돌아 오거라. 우선은 산속 마을로 가야 하느니라…"

신선은 네네에게 호수쪽으로 빠져 나가는 지름길을 알려주었다.

【MAP 5의 '산속 마을'에 410, '장로의 집'에 470이라고 기입】

304 ↵ 432

통로 안쪽에 있는 작은 방은 좁으며 구석에는 초록빛의 신기한 물이 솟아 나오고 있다.

➡ 단서 🔟가 있는 경우 → 304 + 지시 번호 🔟

305

곶의 마을 근처에서 다리를 건넌 서쪽으로는 황량한 사막이 펼쳐져 있다.

네네는 촌장에게 배운 대로 몇 안 되는 표시에 의지하여 해안을 따라 난 오아시스의 동굴을 발견했다.

➡ 동굴 안으로 들어간다. → 402로

306 ↵ 270

손수레에 마련된 가판대를 둘러봤지만 쓸 만한 것이 보이지는 않는다. 네네는 오브에 대한 정보를 물어보기로 했다.

"어서 오시오. 아가씨. 무엇을 찾고 계시는가?"

"오브를 찾고 있어요."

"그런 보물을 여기에서 살 수 있을 거라고 생각했소?"

이가 빠진 가게 주인이 웃었다.

"…그런데 산적이 어딘가에 있는 오브를 노리고 있다는 이야기는 들은 적이 있지. 그 녀석들의 아지트는 서쪽 흔들다리를 건너 산속 깊은 곳에 있다지 아마? 의적 행세를 하는데 요즘에는 평판이 안 좋은 로즈레이 기사들만 노리고 있다는 소문도 있더군."

네네는 흔들다리가 있는 곳을 물었다.

'무슨 수를 써서든, 산적에게 오브에 대한 정보를 얻어야만 할 텐데….'

"그래서 아가씨. 어떤 물건을 사 줄 참이지?"

"전, 아무것도 필요 없어요. 감사합니다."

"것 참 성가시기만 하고만! 저쪽으로 가버려!"

【MAP 4의 '흔들다리'에 385라고 기입】

【소녀의 기록란 10에 '오브에 대한 정보는 산적이 알고 있다', 11에 '산적은 기사를 노리고 있다'라고 기입】

'**여**기에서 소란을 일으키면 즉시 감옥 요새로 가게 될 거야…'

네네는 숨을 크게 들이마신 후 큰소리로 떠들기 시작했다.

무슨 큰일이라도 난 듯, 기사들이 모여들었다.

"아! 이 녀석, 저번에 소대장을 꼬드겨서 성당으로 숨어든 녀석이야! 잡아서 감옥에 집어넣어!"

➡ 감옥 요새로 잡혀간다. → 484로

네네가 의미를 알 수 없는 기호가 적힌 종이를 해석하려고 고심하던 그 찰나, 갑자기 왼쪽 벽에서 사람의 왼팔이 튀어나왔다.

네네는 깜짝 놀라 엉덩방아를 찧었다. 벽에서 튀어나온 왼손은 쥐고 있던 종이를 네네가 있는 방에 떨어뜨렸다.

조심스레 다가가 종이를 주워들고는 펼쳐보자 "탈옥하고 싶다. 그쪽에 무슨 정보가 없는가?"라고 적혀 있었다.

'정보…? 혹시 기호가 적혀있던 종잇조각을 말하는 건가?'

네네는 종잇조각을 벽에서 튀어나온 왼손에 쥐여 주었다.

어느 정도의 시간이 지나자 왼손이 다시 나타나 열쇠를 떨어뜨리고 사라졌다.

'…이게 무슨 일이지?'

네네는 귀신에게라도 홀린 건가 싶었지만 일단 열쇠로 철창을 열고 밖으로 빠져나왔다.

【단서 초에 '기호', 지시 번호 초에 40이라고 기입】

➡ 감옥 밖으로 나간다. → 353으로

네네는 박혀 있던 보석을 빼내 지팡이 끝에 끼웠다. 그러자 보석은 눈부신 빛을 뿜어냈다.

그리고는 어디에선가 목소리가 울려 퍼졌다.

"…나는 샘의 정령…, 물의 정령…, 모든 물을 지배할 수 있노라…. 설령 그것이 바다라 하더라도…."

【단서 **후**에 '빛이 나는 지팡이', 지시 번호 **후**에 26이라고 기입】

310 ↱ 494

네네는 약 선반에 놓여 있던 약품을 섞어 수면제를 만들었다.

'우후후훗…, 마물의 덩치가 크니까 용량을 조금 바꿔서 강력하게 만들어야겠어…. 마을을 어지럽히고 나를 창고에 떨어뜨린 죄는 무거운 법이지! 2, 3일간 편히 잠들어 있으라고!'

네네는 주방에 있던 술에 수면제를 듬뿍 넣고는 다시 창고로 숨어들었다. 한참이 지나자 마물이 계단을 내려와 술을 가지고는 사라졌다.

'꽤 멍청한 마물이구나. 그래도 독약이 아니란 점에 감사하라고. 이제 약발이 오를 때까지 여기서 잠시만 기다리면 되겠어.'

【단서 **모**에 '수면제', 지시 번호 **모**에 14라고 기입】

311 ↱ 290

어제만 해도 파괴되어서 엉망이었던 다리가 놀랄 만큼 빨리 수리되고 있었다. 이제는 건널 수 있을 것 같았다.

➡ 건넌다. → 341로
➡ 단서 **미**가 있는 경우 → 311 + 지시 번호 **미**

312 ↱ 347

여기는…
해 질 녘의 숲이야…
우리는 숲속을 걷고 있어…
누군가와 함께… 손을 붙들고 있어…
메마른 공기가 뺨을 스치고…
바짝 마른 나뭇잎 밟는 소리…
발밑에 붙어있던 질척한 흙도 말라 있어…
조금 무서워… 숲이 무서운 건가…
두 사람 모두 멈춰 섰어… 수상한 기운이 느껴져…
뒤를 돌아봐…

수풀에서 어떤 무서운 것이 나타나…

…?

"네네, 네네. 괜찮은 거니?"

"…어머니."

"대체 무슨 일이 있었던 거니?"

"잘 모르겠어요. 이 목걸이를 보고 있다 보니…, 아버지는 어딘가에서 살아계신 거죠?"

"그럼. 이것을 전해준 소년이 그렇게 말했단다."

【소녀의 기록란 17에 '붙들은 손', 18에 '어떤 무서운 것'이라고 기입】

【단서 허에 '목걸이, 여동생', 지시 번호 허에 84라고 기입】

313 ⤳ 356

➡ 오른쪽 그림을
  참고해서 탐색
  하라.

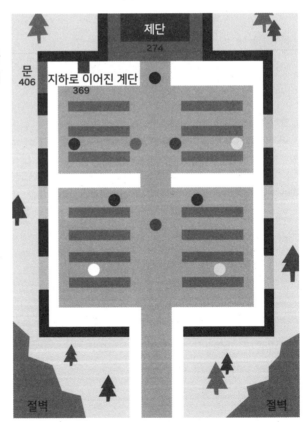

314 ↩ 454

네네는 강도에게 달려들었다. 빈틈을 공격당한 남자는 잠시 멈칫했지만 네네를 보기 좋게 피하고는, 네네의 뒤통수를 칼자루로 강하게 내리쳤다.

"깜짝 놀랐잖아!"

정신을 잃고 쓰러진 소녀에게 내뱉듯 말하고는 촌장에게 오브를 빼앗아 큰소리로 웃으며 사라졌다.

GAME OVER

315

제련소에서 뿜어져 나오는 연기에서는 열기가 식지 않아 따뜻하면서도 매캐한 바람이 불고 있었다. 일자리를 찾아 산속 마을에서 온 광부들이 채굴장에서 나와 땀을 식히고 있다. 네네는 광부에게 오브에 관해 물어보기로 했다.

"예전에는 여러 가지 물건이 나오기도 했었지. 일일이 모두 기억할 순 없지만 그런 게 있었을 것 같기도 하군. 희귀한 물건이 나오면 일단 장로님에게 보고하게끔 되어 있단다."

316 ↩ 420

네네는 묵직해 보이는 철문을 열었다. 문 반대편에는 2층으로 이어지는 계단이 있다. 네네는 계단을 통해 2층으로 올라갔다.

➡ 아래 그림을 참고해서 탐색하라.

317 ↪ 285

"**힐**다라면 분명 함께 춤춰 줄 거야!"

네네는 아지트의 문을 두드렸다.

➡ 힐다와 이야기한다. → 372로

➡ 단서 **키**가 있는 경우 → 317 + 지시 번호 **키**

318 ↪ 352

오브를 손에 넣은 네네는 통로로 되돌아와 줄사다리가 있는 곳까지 왔다.

'이제 이런 눅눅하고 습한 곳은 지쳤어.'

그런 생각을 하며 네네가 손을 뻗은 순간, 줄사다리가 툭 하고 끊어져 버렸다. 체중을 완전히 싣고 있던 네네는 뒤로 나자빠지며 쓰러졌다.

"…끊어져 버렸어…."

끊어진 줄을 놓지 않은 채 네네는 중얼거렸다.

어찌해서든 벽을 기어오르려 노력해 봐도 마음대로 되지 않아 1m도 차마 오르지 못한 채 번번이 떨어지고 말았다.

이대로라면 동굴을 빠져나가지 못하고 죽고 만다. 불안감이 점점 커져 네네의 마음을 지배하고 있었다.

'이 오브가 꽤 무겁단 말이지.'

네네는 오브를 넣은 가방을 입구로 던졌다. 던진 가방은 입구에 있던 촛대 주변에 걸린 것 같았다.

몸은 조금 가벼워진 듯했지만 여전히 맨손으로는 아무런 힘도 쓸 수 없었다. 발판이 없으면 여길 올라갈 수 없을 것 같았다.

'…뭐든…, 쓸 만한 물건이 없을까…?'

➡ 동굴을 탐색할 경우에는 이 단락에 책갈피를 끼워 두고 432로 돌아갈 것.

➡ 단서 **누**가 있는 경우 → 318 + 지시 번호 **누**

319 ↪ 497

여긴 우리 집이야…

밖이 화창해… 그리고 예쁜 꽃…

고양이가 장난을 치고 있어… 평화로웠을 때의 마을이네…

안녕… 안녕…

여기는… 광장…

기념비에서 남쪽으로 10걸음…

오래된 지하수로의 입구…

비밀의 장소…

【소녀의 기록란 26에 '평화로운 마을', 27에 '장난치는 고양이'라고 기입】

【단서 ⓦ에 '남쪽으로 10걸음', 지시 번호 ⓦ에 60이라고 기입】

320

서쪽 마을 선착장에서 대양을 바라보면 서쌍둥이 섬은 왼쪽으로 길게 뻗어 있다. 섬 가운데는 성처럼 생긴 관사가 있고, 그 뒤로는 녹음으로 우거진 숲과 험난한 산이 우뚝 솟아있다.

나무판자가 깔린 작은 부두는 걸을 때마다 삐걱대며 수면의 물결이 기둥에 부딪혀 기분 좋은 파도 소리를 낸다. 젊은 선원이 한가하다는 듯 작은 배의 숫자를 세고 있다.

➡ 젊은 선원과 이야기한다. → 379로

➡ 단서 ⓘ가 있는 경우

　　→ 320 + 지시 번호 ⓘ

➡ 단서 ⓟ가 있는 경우

　　→ 320 + 지시 번호 ⓟ

317
318
319
320
321

321　↪ 260

네네는 근위병에게 사명의 편지를 보여주었다.

"신의 사명으로 오브를 찾고 있어요. 이 성당에도 오브가 있다고 들었어요."

"오브 따위 이곳에는 없다. 예배 허가증이 없다면 썩 사라지는 게 좋을 거야."

네네는 끈질기게 물어봤지만, 근위병은 창을 거두지 않았다.

"기사단은 신을 섬기는 사람들이 아닌가요! 시몬이라면 분명 제 이야기를 들어 줄 거예요! …시몬, 아직 돌아오지 않았나요?"

네네는 오두막 안으로 들어섰다. 그곳에는 박사 한 명이 살고 있었다. 박사는 네네를 발견하자 그녀에게 인사했다.

"어서 오시게. 아가씨. 잘 오셨군. 천천히 쉬었다 가시게."

"…당신은, 이런 곳에서 살아도 아무렇지 않나요?"

"따뜻한 차라도 한 잔 마시겠나? 아, 그렇지. 나는 한 잔 마셔야겠어. 꿀꺽꿀꺽."

"…당신은 무엇을 연구하고 있나요? 왜 이 섬에 있는 건가요?"

박사는 아무런 말도 하지 않고 그저 웃었다.

➡ 단서 **ㅍ**가 있는 경우 → 322 + 지시 번호 **ㅍ**

네네는 원형 거석 안에서 밤이 되기를 기다렸다. 거석에 기대앉아 깜빡 잠이 들려던 찰나, 어떤 목소리가 들렸다.

"…춤추자…, 네네…, 같이 춤추자…."

요정 지젤이 불현듯이 나타나 조용히 춤추기 시작했다. 네네는 바위 뒤에 숨어 있던 힐다와 함께 지젤이 눈치채지 못하도록 번갈아 가며 밤새도록 쉬지 않고 춤을 추었다.

이윽고 먼동이 트고 아침 해가 떠올라 햇빛이 거석을 비추자 요정 지젤이 사라졌다.

"됐어…."

힐다는 그 자리에 털썩 주저앉았다.

"지금이야…! 아침 해가 떠오를 때 마법의 주문을 외우는 자에게 사명의 증거가 잠들어 있는 곳을 알려 주리라…!" (다음 페이지 참고)

➡ 수수께끼를 풀어서 나타나는 숫자에 해당하는 단락으로

마법의 주문을 외워라

주문을 외우는 도중에 만난 숫자를
순서대로 석판에 새긴 자는
보석을 손에 넣으리라.

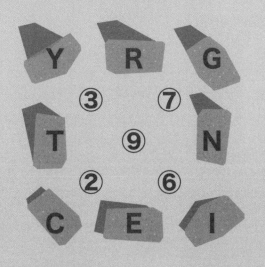

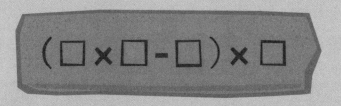

(□ × □ - □) × □

돌문을 열기 위해 네네는 움푹 팬 문에 손을 댔다.

있는 힘을 다해 밀어보아도 돌문은 꿈쩍도 하지 않았다.

'시몬은 아직 여기로 오지 않은 건가…? 만약 여기에 왔다 하더라도 이 문을 열기란 쉬운 일이 아니었을 거야….'

산간으로 난 길을 오르자 절벽 사이에 낀 듯이 세워진 석조 구조의 검문소가 나타났다. 저곳이 북쪽 초원으로 이어지는 검문소. 북쪽으로 지나가려면 반드시 검문소를 통과해야만 한다.

검문소에는 험상궂은 얼굴의 문지기가 서 있다.

➡ 문지기에게 말을 건다. → 276으로

➡ 단서 **도**가 있는 경우 → 325 + 지시 번호 **도**

➡ 단서 **러**가 있는 경우 → 325 + 지시 번호 **러**

네네는 엘리베이터에 올라탔다. 1층 버튼은 아무런 반응도 없자, 어쩔 수 없이 네네는 3층의 버튼을 눌렀다. 엘리베이터는 천천히 위로 향하였고 이내 3층에서 멈춰 섰다.

"이곳은 결투 시합을 준비하는 대기실인가 보네."

➡ 3층에서 내린다. → 299로

네네는 드리워진 천막을 걷고 안을 살폈다. 무희와 악단은 리허설을 시작했고 장인은 서둘러 무대 장치를 손보고 있었다. 수염을 기르고 실크햇을 쓴 작은 체구의 남자가 네네를 발견하고는 다가왔다.

"쇼가 시작되려면 아직 멀었으니까 들어오면 안 돼."

328 ↪ 272

네네는 곧게 세워진 거울을 찬찬히 살폈다. 특이할 것 없는 평범한 거울이었다.
'왜 이런 곳에 거울이 몇 개씩이나 늘어서 있는 걸까? 그리고 이 방향은….'

➡ **수수께끼를 풀어서 나타나는 숫자에 해당하는 단락으로**

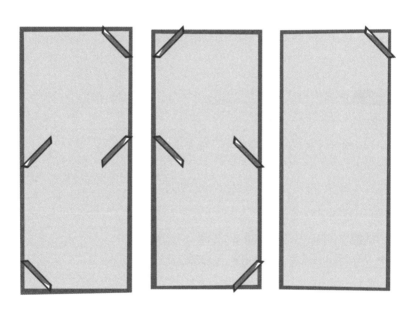

329 ↪ 304

초록색 비커에 샘솟는 초록색 물을 담았다.
'6㎖를 담은 것 같아.'

【소녀의 기록란 6c에 '초록색 비커 6㎖'라고 기입】
➡ **지하 2층의 지도로 돌아갈 경우 → 432로**

330

여관은 광장을 바라보고 서 있다. 장식된 출입구와 벽에 새겨진 꽃무늬가 산 뜻한 분위기를 자아낸다.

➡ 안으로 들어간다. → 291로

➡ 단서 🇩가 있는 경우 → 330 + 지시 번호 🇩

331 ↩ 500

네네가 우물에 뜨개질 도구를 빠트리고 말았다.

카이가 두레박을 몇 번이나 내렸다 올렸다 하더니 뜨개질 도구를 건졌다.

332 ↩ 263

'**이**것은…?'

네네는 바닥에 널브러진 뼈 사이로 새 가방이 떨어져 있는 것을 발견하고 주 워들었다.

'…내가 바닷가에서 주운 가방과 비슷한 것 같은데….'

가방 안에는 작은 등산용 피켈이 들어있었다.

【단서 🇩에 '피켈', 지시 번호 🇩에 43이라고 기입】

➡ 지하 2층의 지도로 돌아갈 경우 → 432로

333 ↩ 456

네네가 휘두른 검은 소년의 오른쪽 가슴을 관통하였고 소년은 피를 토하며 쓰 러졌다.

검을 타고 따뜻한 피가 네네의 오른손으로 흘러내렸다. 피범벅이 된 떨리는 오 른손을 바라보자 완전히 돌이 되어 굳어버린 손가락이 바스러지듯 떨어져나갔다.

GAME OVER

334 ↵ 330

네네는 여관의 출입문을 열었다.

"어서 오세요. 손님, 묵어가실 건가요?"

"아니요…, 그게…."

네네가 대답을 주저하고 있자 술집에서 도와줬던 소녀가 가게 안에서 나왔다. 소녀는 여관 주인인 아버지에게 술집에서 도움을 받은 사람이라며 네네를 소개했다.

아버지는 네네에게 감사 인사를 하고, 대접해 줄 것은 없지만 천천히 쉬어 가라고 환영해 주었다.

그날 밤, 네네는 소녀와 식사를 했다.

"으음, 가방을 갖고 있던 소년이라…, 나는 그런 사람 본 적이 없는데."

"그렇구나…, 검문소 문지기는 봤다고 했거든…."

"문지기? 그 사람 우리 오빠야. 벌써 2주 동안이나 집에 돌아오지 않았다고. 조금 숫기가 없긴 하지만 노래 부르는 걸 좋아하지. 마을 콘테스트에서 우승도 했는걸."

"정말? 그렇게 노래를 잘한다면 한 번쯤 들어보고 싶은데."

네네는 호박 수프를 홀짝이며 말했다.

"내 친구라고 하면 분명 노래를 불러줄 거야!"

【단서 라에 '노래를 좋아하는 문지기', 지시 번호 라에 38이라고 기입】

➡ 잠을 청한다. → 436으로

335

여관집 소녀에게 들은 대로 나지막한 언덕을 바라보고 북동쪽으로 향하자 작은 예배당에 도착했다. 소박한 건물이지만 선명한 스테인드글라스를 통해 햇빛이 비치고 흔들리는 촛불은 신성한 분위기를 찬양하는 듯했다.

수녀가 눈을 감고 신에게 기도하고 있다.

➡ 수녀와 이야기한다. → 461로
➡ 단서 다가 있는 경우 → 335 + 지시 번호 다

336 ↪ 490

"**저**는 도저히 사람들 앞에서 춤출 자신이 없어요."

"아니야, 너라면 충분히 할 수 있어! 공연은 저녁부터 시작될 예정이니까 마음이 바뀌면 언제든 말해 주라고."

337 ↪ 325

검문소의 봉쇄가 해제된 듯했다. 문지기는 네네에게 말했다.

"기사의 증거를 가진 자가 나타나서 봉쇄가 해제되었다. 이제 자유롭게 지나도 좋아."

➡ **단서 데가 있는 경우 → 337 + 지시 번호 데**

338 ↪ 302

'**이**제 약발이 올랐을까…?'

네네는 천장에 있는 뚜껑을 조금 열고 그 틈으로 위층의 모습을 살폈다. 마물은 그대로 드러누워 드르렁드르렁 코를 골며 잠들어 있다.

'우후후훗…, 완벽해…'

네네는 계단을 올라와 잠들어 있는 마물을 찔러보고는 깜짝 놀라 소리 질렀다. 마물의 다리 밑에 잃어버린 줄만 알았던 2개의 오브가 나뒹굴고 있었다.

'왜 여기에…?'

오아시스의 동굴에서 잃어버린 오브가 왜 궁전에 있는 것인지 생각하면 할수록 미궁 속으로 빠졌다.

'…아무렴 어때! 일단 두 개의 오브를 모두 찾았어!'

네네는 오브를 가방에 넣고 원탁에 놓여 있던 서쪽의 지도도 함께 가져가기로 했다.

'이 지도, 지형만 그려져 있고 아무것도 쓰여 있는 게 없잖아. 어쨌든 오브도 찾았으니…, 이제 서쪽 다리만 고쳐져 있으면 좋겠는데.'

【단서 **미**에 '물의 오브', 지시 번호 **미**에 88이라고 기입】

【MAP 4를 펼친다.】

339

표지판에는 '절벽, 위험'이라고 적혀 있다. 그러나 네네가 가만히 그 표지판을 바라보자 신기하게도 문자가 드러났다.

"이 절벽을 본 자는 당신 외에도 있다. 그 자가 본 절벽과 지금 보고 있는 절벽 사이에 2개의 다리를 놓아라!"

(오른쪽 그림 참고)

➡ 수수께끼를 풀어서 나타나는 숫자에
　 해당하는 단락으로

340

곶의 마을은 쌍둥이 섬에서 가장 교역이 활발한 장소라고 네네는 아버지에게 들은 적이 있다. 광장에서 남쪽 해안 쪽으로 걷는다. 떠돌이 상인의 모습은 볼 수 없었지만, 교회에 예배를 드리러 가는 사람들과 스쳐 지났다. 변방의 마을을 처음으로 떠나온 네네에게는 모든 것이 신선했다.

작은 마을을 빠져나와 선착장에 도착했다. 풍랑의 영향으로 배는 바다로 나가지 못하고 쇠말뚝에 연결된 로프에 묶인 채 그저 조용히 파도에 떠밀려 다닐 뿐이었다. 뱃사람 한 명이 불만 가득한 얼굴로 담배를 피우고 있다.

➡ 뱃사람에게 말을 건다. → 269로
➡ 단서 **티**가 있는 경우
　 → 340 + 지시 번호 **티**

341 ↪ 311

네네는 다리를 건너려고 했다.

'하지만…, 아직 오아시스의 동굴에서 잃어버린 오브를 찾지 못했는데….'

네네는 어촌으로 발길을 되돌렸다.

342 ↪ 440

네네는 술집에 들어가 보기로 했다. 술집 내부는 어둑어둑하고 한산한 분위기로, 카운터에서 중년 여성이 술을 마시고 있을 뿐이었다. 익숙지 않은 분위기에 주저하고 있자 여성이 먼저 네네에게 말을 걸었다.

"어머나, 젊은 아가씨가 이런 곳에 들어오면 안돼. 평화로워 보이는 이 마을도 꽤나 뒤숭숭하거든. 요즘엔 강도 사건도 꽤 많이 일어나고 말이지! 아가씨도 조심하는 게 좋을 거야."

343 ↪ 370

네네는 묘지의 기념비에서 새겨진 수식을 발견했다.

$$\diagdown \quad \boxed{\boxed{}} \quad \diagdown = 4$$

'이 기념비 뒤에…, 누군가 숨어 있었던 것 같아….'

【소녀의 기록란 24b에 '묘지 $\diagdown$ $\boxed{\boxed{}}$ $\diagdown$ = 4'라고 기입】

➡ 단서 **W**가 있는 경우 → 343 + 지시 번호 **W**

344 ↪ 339

네네와 시몬 앞에 빛나는 두 개의 다리가 나타났다.

"오오! 신이 우리를 인도하고 있는 거야!"

그때, 등 뒤에서 사람 목소리가 들리더니 네네의 존재를 눈치챈 근위병이 뒷문에서 나타났다.

"…네네. 이곳은 나에게 맡기고 어서 달아나도록 해."

시몬은 검을 뽑아 들고 근위병을 견제했다.

"…나는 잘못된 판단을 해서 후회하고 있지. 그래도 네네 덕분에 마지막에는 올바른 길을 갈 수 있게 되었다."

"시몬!"

"신의 이름을 더럽히는 사악한 놈들. 이 검으로 단죄할 테다."

네네는 빛나는 다리를 건너 절벽 반대편으로 뛰었다. 또 하나의 나무다리를 건너 반대편 절벽을 통해 성당 뒤편으로 돌아왔다. 그리고는 성당 뒤쪽 벽에서 숨겨진 계단을 발견했다.

그때, 비명이 들리더니 깎아지른 절벽 아래로 세 명의 그림자가 떨어졌다.

"…시몬!"

그림자는 급류에 휩쓸려 사라져버렸다. 네네는 흘러나오는 눈물을 애써 참으며 숨겨진 계단을 내려왔다. 계단은 작은 방으로 연결되어 있었고 제단 위에서는 오브가 빛나고 있다.

'여기 있었네….'

네네는 세 번째 오브를 손에 넣었다.

'…이 오브에 시몬의 목숨과 바꿀 만한 중요한 의미가 있다는 거야…?'

네네는 오브를 바라보았지만, 해답을 찾을 수는 없었다.

【단서 **오**에 '빛의 오브', 지시 번호 **오**에 35라고 기입】

341
342
343
344
345

345

서쪽 마을의 광장에서는 화려한 옷을 입은 젊은 소녀들이 모여 마을 근처에 온 이동 극장에 대한 이야기를 나누고 있다.

➡ 이동 극장에 대해서 물어본다. → 358로

➡ 남쪽 건물에 대해서 물어본다. → 256으로

➡ 단서 **키**가 있는 경우 → 345 + 지시 번호 **키**

346 ↳ 265

남루한 차림새의 남자가 우물에 물을 길으러 왔다.

산적 아지트에서 본 적 있는 얼굴이다. 네네는 남자에게 말을 걸었다.

"저, 사실은…. 산적은 이미 해산했어요."

➡ 단서 **커**가 있는 경우 → 346 + 지시 번호 **커**

347 ↳ 280

"네가 나가 있는 동안 어떤 남자아이가 찾아왔었단다."

"남자아이요?"

"그러니까, 딱 네 또래로 보이는 남자아이였지. 그리고는 이걸 너에게 주라고…."

미트라는 소년에게 맡아 둔 작은 상자를 네네에게 건넸다.

"이건…, 아버지의…."

"맞아. 아버지가 항상 소중하게 갖고 있던 상자지."

네네는 상자를 천천히 열었다.

"…목걸이…?"

상자 안에는 사람 모양으로 만들어진 나무 조각에 가죽끈이 달려 있는 목걸이가 있었다. 목걸이 뒤에는 네네라는 이름이 적혀 있다.

"내 이름…?"

"그건 절벽에 쓰러져 있던 네가 목에 걸고 있던 목걸이야."

"절벽…."

네네는 그 목걸이를 바라보았다. 희미한 의식과 교차하듯, 어떤 기억이 되살아났다.

➡ 기억이 되살아나다. → 312로

348 ↳ 255

교회 안을 찬찬히 둘러보니 네네보다 조금 나이가 많아 보이는 여성이 긴 의자에 앉아 천사의 조각상을 바라보고 있다.

옆모습으로는 희미하게 웃는 것처럼 보였다.

"뭔가 좋은 일이라도 있었나요?"

"어머, 눈치채셨나요? 실은 아까 연인에게 프러포즈를 받았어요!"

누군가에게 이야기하고 싶어서 참을 수 없었던 모양이다. 여성은 자신에게 말을 걸자 일방적으로 이야기를 늘어놓기 시작했다.

"내가 서쪽 해안 근처의 수풀 언덕에서 괴물에게 습격당하려던 찰나에 나를 구해준 사람이에요! 로맨틱한 만남이지 않나요? 페텔이라고 하는 가방 상인인데요. 그 후로도 이곳저곳으로 데이트를 하러 갔죠. 당신은 남쪽 해변에 가본 적이 있나요? 멋진 석상이 늘어서 있는데, 우리 마음에 쏙 들었던 장소랍니다!"

류류라고 자신을 소개한 여성은 지도를 가리키며 추억의 장소를 알려 주었다.

"당신과 만난 것도 인연인 것 같아요. 괜찮다면 제 결혼식에 놀러 오세요! 제 결혼식에 와 준 사람에게는 직접 만든 수제 초콜릿을 나눠 줄 생각이랍니다."

【MAP 1의 '해변'에 350, MAP 2의 '수풀 언덕'에 435라고 기입】

349 ↪ 301

"**혹**시 당신이…, 힐다?"

여자 산적은 아무런 대답도 하지 않았다.

"이동 극장의 단장님에게 들었어요. 산속 마을에 사는 힐다가 오브에 대해 알고 있을 거라고."

"무엇 때문에 그렇게 오브가 필요한 거지?"

"내가 사는 마을에 석화병이 퍼지고 있어요. 오브를 모으는 게 나의 사명이에요."

"오브가 있으면 병이 낫는다는 건가?"

"그건 알 수 없지만, 신에게 받은 편지에 그렇게 적혀 있었어요."

여자 산적은 묵묵히 자신의 왼손을 들여다보았다.

"왜 무희를 그만둔 거죠?"

잠시 침묵하던 힐다는 입을 열었다.

"저주의 반지 때문이야."

346
347
348
349

➡ 단서 조가 있는 경우 → 349 + 지시 번호 조
➡ 단서 조가 없는 경우 → 387로

네네는 동쌍둥이 섬 최남단의 해변에 도착했다. 산호가 퇴적되어 만들어진 모래는 눈부시게 희고 바다도 바닥이 들여다보일 만큼 투명하지만, 연안에서는 풍랑이 일고 있었다. 때때로 멀리서 천둥소리가 들려온다.

해변에는 뱃사람 조각상 3개가 서 있다.

➡ 바다를 바라본다. → 283으로

네네는 암시장에 나온 잡화상을 둘러보았다. 산적 아지트에서 본 적 있는 남자가 가게를 돕고 있다.

"산적은 이미 해산했어요."

"힐다는…, 두목은 어디로 갔나요?"

"두목은 동쌍둥이 섬의 어촌으로 갔어요."

네네는 빨간색, 파란색, 초록색 순서로 남은 물을 상자에 뿌렸다.

'…이제 열린 건가?'

겉으로는 아무런 변화도 없었다. 네네는 반신반의로 상자에 손을 뻗었다. 상자는 아무런 소리도 없이 열렸다. 오브의 빛이 새어 나와 동굴을 희미하게 비췄다.

'해냈어! 두 번째 오브!'

네네는 오브를 해변에서 주운 가방에 넣고 동굴 입구로 발길을 돌렸다.

➡ 출구로 간다. → 318로

➡ 오른쪽 그림을 참고해서 탐색하라.

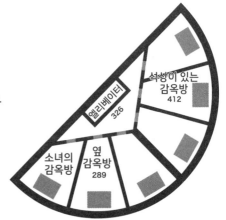

354 ↰ 463

"그럼, 이게 좋겠어요."

"이런, 이런 의상을 고르다니 조금 의외인걸. 마음에 품고 있는 사람을 유혹하려는 건가? 핫핫핫, 쓸데없는 오지랖을 부렸구먼. 자, 가져가거라."

【단서 **비**에 '요염한 의상', 지시 번호 **비**에 31이라고 기입】

355 ↰ 284

네네는 소녀에게 계산식을 해결하는 법을 알려 주었다.

"아, 그렇구나! 그럼, 여기를 조절하면⋯."

소녀는 눈물을 훔치며 추시계의 나사를 조절했다. 1시간 정도 수리하다 보니 시계는 완전히 고쳐져 원래의 시간을 가리키고 있었다.

술집 주인의 기분도 나아져 지나치게 심한 말을 했다며 두 사람에게 커피를 내주었다. 네네와 소녀는 함께 커피를 마셨다.

"네네, 고마워. 네 덕분에 이 일을 계속할 수 있을 것 같아. 뭐라고 감사를 표하면 좋을지⋯. 아 참! 괜찮다면 오늘 우리 집에서 묵고 갈래? 우리 집은 이 마을에서 여관을 운영하고 있어. 요리가 맛있다는 평판이 자자해. 지금 집으로 가서 대접할 준비를 할 테니 천천히 우리 여관으로 와!"

【단서 **두**에 '추시계 수리', 지시 번호 **두**에 4라고 기입】

356 ↰ 260

"아니, 소대장님!"

근위병은 시몬에게 경례했다.

네네는 기사의 의상을 입고 시몬의 뒤를 따라 들어갔다. 근위병은 다소 이상한 듯한 표정을 지었으나 네네는 아랑곳하지 않고 성당 안으로 들어갔다. 성당 내부에는 아무도 없는 것 같았다.

"그럼, 네네! 지금 당장 오브가 있는 곳을 찾아보는 게 좋겠어!"

➡ 성당 내부로 들어간다. → 313으로

350
351
352
353
354
355
356

357 ↪ 316

네네는 북쪽 창을 통해 밖을 바라보았다. 지금은 쥐죽은 듯 조용해진 짐승의 숲이 보인다.

'대체 누가 종을 울린 걸까···. 일단 지금은 이 탑에 숨겨진 비밀의 방을 찾아야만 해. 오브를 모아서 사명을 완수해야 해. 그러면 분명 석화병을 고칠 수 있을 거야.'

358 ↪ 345

네네는 이동 극장에 대해서 물어보았다.

"마을 근처에 이동 극장이 왔어요. 핑크색 천막으로 만들어진 오두막을 보지 못했나요? 오늘 밤에는 무료 공연도 있다고 하니 모두들 무희 비비의 춤을 기대하고 있답니다! 오브? 그건 뭐죠?"

【MAP 4의 '이동 극장'에 460이라고 기입】

359 ↪ 390

네네는 감옥 요새 안으로 들어가려고 했지만, 보초병은 방패로 그 앞을 가로막았다.

"물러서. 저주받은 자가 아니면 죄수와 면회할 수 없다!"

360

촌장의 집으로 이어진 해안 쪽 길에는 높은 나무가 늘어서 바다에서 불어오는 바람을 막고 있다.

반대쪽은 한가로운 전원의 풍경이 펼쳐져 있으며, 농부들이 밭을 매고 있다.

➡ **집으로 들어간다.** → 458로
➡ **단서 🔟가 있는 경우** → 360 + 지시 번호 🔟

361 ↪ 318

'그렇지! 이 도구를 쓰면….'

뼈가 나뒹굴고 있던 방에서 주운 가방에는 피켈이 들어 있었다. 네네는 피켈로 벽에 홈을 만들고는 조심스럽게 올라갔다.

힘겹게 입구까지 기어오른 네네는 던져두었던 가방을 찾았다. 하지만 오브를 넣어 두었던 가방은 어디에서도 찾을 수 없어 네네는 깊은 절망에 빠졌다.

'분명 여기로 던졌는데…. 일단, 곶의 마을 촌장님에게 알려야겠어….'

【단서 더에 '오브 분실', 지시 번호 더에 92라고 기입】

362 ↪ 349

"극단에 들어가 여행을 했을 때였지, 어떤 기사에게 속아서 저주의 반지를 끼게 됐어. 기사는 그 뒤로 모습을 감췄고 어딘가에서 객사하고 말았어. 그리고 나는 저주를 받은 탓에 누구와도 춤을 출 수 없게 됐지. 그런데 얼마 전에 어떤 멍청한 녀석이 그 저주를 받아갔어."

힐다는 나지막이 웃었다.

"이제 더 이상 예전으로 돌아갈 수는 없어…."

네네는 힐다의 옆얼굴을 바라봤다.

"…이제 어디로든 사라져버려! 질척대는 건 정말 지긋지긋해!"

힐다는 갑자기 문을 걷어차고는 소리쳤다. 네네는 아무런 말도 하지 않고 방을 나서려고 했다.

"잠깐…, 산속 마을에 있는 광산에서 두 개의 오브가 발견된 적이 있어."

"두 개의 오브요?"

"하나는 기사단의 공물로 바쳐져 벼랑 위의 성당에 있고, 다른 하나는 감옥 요새를 관리하던 사람 손에 넘어갔어. 분명 다음 죄수 결투 시합의 우승 상품으로 내걸렸다지 아마."

"성당에 있던 오브는 내가 훔쳤어요."

"후후…, 제법인데. 요새로 갈 거라면 조심해야 해."

"고마워요, 힐다."

【단서 차에 '결투 시합의 상품', 지시 번호 차에 47이라고 기입】
【소녀의 기록란 16에 '네 번째 오브는 죄수 결투 시합의 우승 상품'이라고 기입】

357
358
359
360
361
362

363 ↪ 325

"**네**가 네네인가? 여동생을 도와줘서 고맙다. 오늘 아침, 수장이 날려 보낸 비둘기에 적혀 있었어."

"천만에요. 멋진 여관에서 묵게 돼서 오히려 감사 인사를 드려야 할 사람은 저인걸요. 오빠는 노래를 잘한다고 하던데. 듣고 싶어요."

"하하하. 여동생이 괜한 소리를 했나 보군…."

문지기는 쑥스럽다는 듯 노래를 부르기 시작했다. 당당하면서도 소박한 목소리에 네네는 저도 모르게 빠져들었다.

"…들어줘서 고맙다. 지금 부른 노래는 용감한 기사 엔데의 노래지."

【단서 토에 '엔데의 노래', 지시 번호 토에 72라고 기입】

364 ↪ 340

곶의 마을은 젊은 두 사람의 결혼식으로 떠들썩했다. 이동 극장의 인기 무희 비비가 축하연을 펼치고 신랑, 신부는 기뻐하고 있다.

집배원 에르카도 화려한 결혼식을 즐기고 있는 듯했다.

➡ 에르카와 이야기한다. → 483으로

365

감옥 요새에서 정글을 지나 나무다리를 건너면 완만한 산길이 산의 정상까지 굽이굽이 이어져 있다.

네네는 천천히 산으로 올라가 산의 정상에 있는 사당에 도착했다.

➡ 주변을 살핀다. → 383으로
➡ 사당으로 들어간다. → 442로
➡ 단서 **치**가 있는 경우 → 365 + 지시 번호 **치**
➡ 단서 **토**가 있는 경우 → 365 + 지시 번호 **토**

366 ↪ 300

네네는 어두운 동굴 안으로 조심스럽게 들어갔다. 동굴은 거의 외길만 나 있고 바위벽은 축축하며 발밑은 질척거린다. 한참을 걷자 넓은 공간이 나타났다.

➡ 아래 그림을 참고해서 탐색하라.

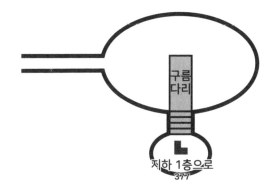

구름
다리

지하 1층으로
377

367 ➥ 403

네네는 교황과 싸우기 위한 자세를 취했다.

"신을 거스르는 자는 지옥으로 떨어질 것이다…. 회개하라!"

교황은 눈으로도 쫓을 수 없는 빠른 속도로 검을 휘둘렀다. 네네는 운 좋게 교황의 검을 피했지만, 이내 강기슭까지 몰려 더는 승산이 없어 보였다. 네네는 필사적으로 도망칠 수밖에 없었다.

368 ➥ 335

문득 창 쪽으로 시선을 돌리니 기사 한 명이 밖을 바라보고 서 있다. 짐승의 숲 근처 절벽에서 구해준 기사, 시몬인 것 같았다. 시몬은 멍하니 스테인드글라스를 바라보고 있다.

"시몬! 이 마을에 와있었군요!"

시몬은 뒤를 돌아 네네를 바라보았다. 투구를 쓰고 있는 탓에 얼굴이 잘 보이지 않았다.

"당신, 방향치이니까 어딘가에서 헤매고 있을 거라고 생각했어요."

"아, 아아…, 응. 잘 찾아왔어."

"스테인드글라스를 보고 있었군요. 아름답죠? 이 예배당. 시몬은 수장님의 집에서 묵고 있는 건가요?"

시몬은 그저 멍하니 서 있었다.

"왜 그래요? 시몬."

"어…. 아, 아니 아무것도 아니야."

"마물을 퇴치하러 가는 거죠? 궁전은 어느 쪽인가요?"

시몬은 네네에게 궁전이 있는 곳을 알려주었다.

"그렇구나~, 꽤 멀리 있네. 또 길을 헤매는 거 아니에요? 이렇게 외워 보세요. 다음 길에서 오른쪽으로 꺾을 때는 오른손을 쥐어요. 왼쪽으로 꺾을 때는 왼손을 쥐는 거죠. 이러면 헷갈리지 않겠죠? 힘내요!"

"고…, 고마워."

시몬은 그 말을 남기고는 예배당을 빠져나갔다.

'…오늘 왠지 이상한데. 배가 아프기라도 한 걸까?'

시몬이 나가자마자 신부님이 예배당으로 들어왔다. 네네는 오브에 대해 신부님에게 물어보았지만 역시 아무런 정보를 얻을 수 없었다.

한참이 지나고 네네는 깜짝 놀랐다. 시몬이 메고 있던 가방. 네네가 바닷가에서 주운 가방과 똑같은 것이었다. 그렇다면 그 속에는 오브가 들어있을지도 모른다.

"…어째서 시몬이 같은 가방을 갖고 있는 거지? 어쨌든 뒤를 쫓아서 궁전으로 가 봐야겠어."

【MAP 3의 '마물의 궁전'에 465라고 기입】

【소녀의 기록란 8에 '가방을 갖고 있는 시몬을 따라 궁전으로 간다'라고 기입】

369 ↪ 313

네네와 시몬은 계단을 내려와 지하 납골당으로 들어갔다.

납골당은 좁았으며 단 하나의 관이 놓여 있을 뿐이었다.

"저 관도 열어봐야겠어요."

"하…, 하지 마! 네네! 천벌을 받게 될 거야! 그런 곳에 귀중한 오브를 넣어 둘리 없지 않은가."

"무서운 거예요?"

"다…, 당치도 않은 말을!"

"흐음, 그럼 관둘까요? 여기에는 없을 것 같네요."

370

네네는 마을을 보고서는 입을 다물 수가 없었다. 집도, 자연도, 다리노, 기념비마저도 모든 것이 파괴되어 있었다. 마을 북동쪽에 있는 묘지만 희고 또렷하게 도드라져 보였다.

➡ **아래 그림을 참고해서 탐색하라.**

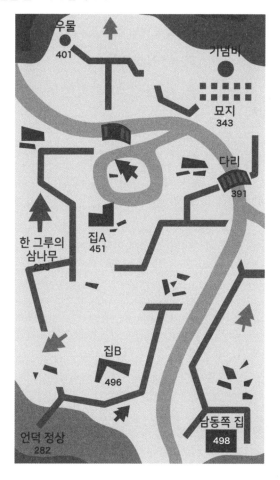

371 ↪ 405

남자아이는 가만히 낚싯줄을 바라보고 있다가, 네네가 말을 걸자 할아버지의 자랑을 늘어놓았다.

"할아버지는 말이야, 옛날이야기를 많이 알고 있어! 그리고 요괴 이야기나 요정 이야기도 많이 알고 있다구. 어제는 커다란 바위 주위를 빙글빙글 돌면서 죽을 때까지 춤추게 만드는 무서운 요정 이야기도 들려줬어!"

"죽을 때까지…, 춤추게 한다고?"

"응! 그러니까 그 요정이 춤을 추자고 해도 절대로 춤을 춰서는 안 된대!"

"그렇구나…. 조금 무서운 이야기네…. 할아버지의 이야기가 재미있어?"

"응! 재미있어! 나는 도중에 잠들어 버리지만! 누, 누나, 노래 불러줘!"

➡ **단서 🇷가 있는 경우 → 371 + 지시 번호 🇷**

▐372▐ ↪ 317

아지트의 문이 열리고 힐다가 얼굴을 내밀었다.

"힐다, 부탁이야. 나와 함께 춤을 춰주면 안 될까?"

"이제 다시는 춤을 추지 않기로 했어. 춤은 이제 지쳤다고."

네네는 거석의 요정에 대해 설명했지만 힐다는 수긍하지 않고 아지트 안으로 들어가 버렸다.

'기사에게 속은 게 큰 충격이었나 보네. 어떻게 해서든 힐다의 마음을 돌려놓아야 할 텐데….'

▐373▐ ↪ 271

맛있어 보이는 식사와 술병이 준비되어있다.

'맛있어 보여. 먹어 버릴까…?'

▐374▐ ↪ 432

네네는 동굴의 가장 깊숙한 곳으로 들어갔다. 방 한가운데에 허리 높이 정도의 기단이 있고, 작은 상자와 세 개의 비커, 그리고 세 개의 시험관이 놓여 있다.

'이 안에 오브가…!'

네네는 상자를 열려고 했지만, 꿈쩍도 하지 않았다. 상자를 찬찬히 들여다봐도 열쇠 구멍조차 없다. 이상하다고 생각한 네네는 상자를 기단 위에 돌려놓으려다, 그 위에 문자가 새겨져 있는 것을 발견했다.

'혹시 이 빨간색, 파란색, 초록색의 비커와 A, B, C라는 라벨이 붙어 있는 세 개의 시험관을 사용하라는 뜻인 건가…?'

문자를 읽어 내려간 네네는 크게 한숨을 내쉬었다.

'이걸 읽으니 머리가 더 복잡해졌어. 일단 물을 뜨러 가야겠네.'

【단서 ㄴ에 '비커와 시험관', 지시 번호 ㄴ에 25라고 기입】

➡ 수수께끼를 풀어서 나타나는 숫자에 해당하는 단락으로

오브 상자를 열어라

빨간색 비커에 빨간색 물, 파란색 비커에 파란색 물, 초록색 비커에 초록색 물을 가득 담아 올 것.

세 개의 시험관 A, B, C에는 각각 2ml, 3ml, 4ml 들어간다. 단, 어떤 시험관이 어느 용량인지는 알 수 없다.

I 빨간색 비커의 물을 시험관 B, 시험관 C에 가득 차도록 넣고 시험관 B, 시험관 C의 내용물을 버릴 것. 남은 빨간 물은 맨 처음 양의 반보다 적다.

II 파란색 비커의 물을 시험관 C에 가득 차도록 넣은 다음 시험관 C의 내용물을 버릴 것.

III 초록색 비커의 물을 시험관 A, 시험관 B에 가득 차도록 넣을 것. 초록색 물은 정확히 없어진다.

IV 시험관 A의 내용물을 초록색 비커로 돌려놓고 시험관 B의 내용물을 모두 버릴 것.

남은 물을 빨간색, 파란색, 초록색 순으로 상자에 뿌릴 것.

그리하면 오브 상자가 열릴 것이다.

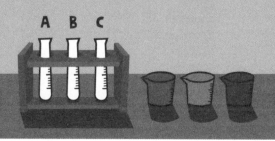

375

짐승의 숲을 빠져나와 남동쪽 초원에는 오두막 하나가 서 있다. 많이 낡아 있지만 사람이 사는 듯했다.

➡ **오두막을 방문한다. → 393으로**
➡ **단서 囲이 있는 경우 → 375 + 지시 번호 囲**

376 ↩ 275

거석 표면에는 춤추는 요정이 그려져 있다. 원을 그리듯이 늘어서 있는 거석 중심에는 사람의 뼈가 널브러져 있고, 개중에는 춤추다가 죽은 듯한 모습의 해골도 있다. 하지만 신선이 말한 지팡이 같은 것은 어디에서도 보이지 않았다.

'대체 여기에서 무엇을 하란 말이지?'

네네는 거석을 계속 조사해 보았지만 결국 아무런 소득도 없이 밤이 되어버렸다. 여행 중의 피로가 쌓여있던 네네는 거석에 기대어 앉아 잠이 들어버렸다.

"…춤추자…, 네네…, 같이 춤추자…."

➡ **같이 춤춘다. → 382로**
➡ **도망친다. → 485로**

377 ↩ 366

넓은 공간 쪽으로 구름다리처럼 튀어나온 담장 위로 올라가, 계단을 오를 생각이었다.

그러자 눈앞에 하얀 안개가 생기더니 어디에선가 목소리가 울려 퍼졌다.

"…사명의 지팡이를 지닌 자여…, 신에게 선택받은 자여…, 지금에야말로 내 힘을 맡기리니…, 세 개의 보석을 손에 넣었을 때…, 나는 항상 그대와 함께 존재하리라…."

목소리는 잦아들고 하얀 안개도 사라졌다.

네네는 이상하게 생각하며 계단을 올랐다.

➡ **지하 1층을 향하여 계단을 올라간다. → 446으로**

378 ↱ 346

"**힐**다는…, 아…, 두목은 이디로 갔나요?"

"저와 이 어촌까지 함께 왔어요. 아까 묘지에 가본다고 하던데요."

네네는 산적이었던 남자에게 묘지가 어디에 있는지 물었다.

【MAP 3의 '묘지'에 295라고 기입】

379 ↱ 320

네네가 선원에게 말을 걸려고 하자 집배원이 다가와 젊은 선원에게 말을 걸었다.

"아직 배가 뜨지 않는가?"

"어어, 에르카. 힘들지, 이런 풍랑에서야…. 아직 선장님 병도 낫지 않았고…, 미안하지만, 서쪽 선착장까지는 갈 수 없다네."

➡ 집배원 에르카와 이야기한다. → 408로

380

어촌에 있는 수장의 집은 해변에 위치하여 바닷바람을 타고 비릿한 바닷냄새가 난다. 판자로 지어진 집은 많이 망가져 있어, 네네가 현관 앞에 서자 발판이 삐걱삐걱 소리를 냈다.

➡ 안으로 들어간다. → 423으로

➡ 단서 🅓가 있는 경우 → 380 + 지시 번호 🅓

381 ↱ 477

짐승의 숲에서 빠져나오면 바로 근처에 안식의 탑이 서 있다. 그 건너편에는 초원이 펼쳐져 있고 멀찍이 남동쪽 구석으로 오두막이 보인다.

네네는 지도를 펼치고 위치를 확인했다.

【MAP 1의 '오두막'에 375, '안식의 탑'에 420이라고 기입】

375
376
377
378
379
380
381

382 ⤴ 376

네네가 눈을 뜨자 불투명한 유리처럼 희뿌연 모습의 여성이 춤추고 있었다. 네네는 잠에서 깨지 못한 채 여성과 춤추기 시작했다. 무의식중에 춤을 추지만 머지않아 지쳐 쓰러지고 만다. 하지만 희뿌연 모습의 여성은 계속 춤추기를 재촉했다.

"…춤추자…, 네네…, 같이 춤추자…."

네네는 더는 춤추고 싶지 않았지만, 몸이 말을 듣지 않고 계속 춤추었다.

네네는 자신의 심장 박동에 맞춰 쉼 없이 춤을 추었지만, 태양이 떠오를 즈음에는 심장 소리도 들리지 않고 거석 가운데서 깊은 잠에 빠져들었다.

GAME OVER

383 ⤴ 365

네네는 산 정상에서 주변을 둘러보았다. 북쪽 숲속 깊은 곳에 파묻힌 듯 통나무 오두막 건물이 보인다. 지도로 확인하니 그 곳은 산적 아지트쯤 되어 보인다. 아래에서는 길도 알 수 없었으나 산 정상에서 보니 위치와 길이 또렷이 보인다.

동쪽으로 기묘한 돌이 늘어서있는 초원이 보인다. 유적이라도 되는 걸까. 지나치게 먼 탓에 길은 보이지 않았다.

【MAP 4의 '산적의 아지트'에 285라고 기입】

384 ⤴ 265

마을 사람들은 마물을 퇴치하러 오기로 한 기사가 오지 않아 답답해하고 있는 듯했다.

"여기는 추운 데다 마물까지 나타나니…, 서쪽 마을은 근처에 이동 극장이 와서 떠들썩하대요."

385

돌로 만들어진 입구에 매달려 있는 흔들다리 건너편에는 원시림이 우거진 산이 버티고 있다. 다리 근처에는 '산적주의!' 라고 쓰인 표지판이 있다. 사람의 자취는 보이지 않지만, 네네는 불길한 기운을 감지했다.

➡ 다리를 건넌다. → 479로

➡ 단서 가 있는 경우 → 385 + 지시 번호

386 ⤴ 488

➡ 오른쪽 그림을 참고해서 탐색하라.

382
383
384
385
386
387

387 ⤴ 349

"극단에 들어가 여행을 했을 때였지, 어떤 기사에게 속아서 저주의 반지를 끼게 됐어. 기사는 그 뒤로 모습을 감췄고 어딘가에서 객사하고 말았어."

갑자기 힐다는 왼쪽 팔을 네네에게 뻗었다. 왼쪽 팔은 그대로 전진하더니 네네의 몸통을 통과했다.

"이…, 이게 무슨 짓이야! 하지 마세요!"

"이 저주 탓에 나는 그 누구와도 춤출 수 없게 되었지. 비밀을 알게 된 당신은 여기에서 평생을 살아야 해. 각오를 해 두도록!"

힐다는 슬픈 미소를 띠었지만 네네는 아무것도 할 수 없었다.

GAME OVER

선장 휴고의 집에 들어서자 그 곳에 네네를 키워준 아버지 야코피가 조용히 잠들어 있었다.

"너는…?"

휴고가 네네에게 물었다.

"딸이에요! 아버지는 괜찮은가요?"

"오오, 딸이로군. 구출했을 때는 자기의 이름을 말할 수 있을 만큼 의식이 있었는데 그 후로 계속 혼수상태라네. 자, 이름을 한번 불러보게나."

"아버지! 정신 차리세요."

네네가 부르자 야코피는 눈썹을 아주 조금 움직였다.

"…으, 으으…, 네네…."

"오오! 의식이 돌아왔다! 기적이야!"

"너…, 너에게 꼭 전해야 할 말이 있다…. 가…, 감옥 요새에서 겨우 탈출했는데 금세 추격자가 따라 왔지…. 그…, 그때 숲에서 늙은 기사가 나타나서 나를 바다로 숨겨 주었어…. 그 기사도 절벽에서 떨어져서 빈사 상태였는데…. 사…, 살아 있다면 지금쯤 감옥 요새 근처에 있는 정글에 쓰러져 있을 거야…."

"…절벽에서 떨어진 늙은 기사! 시…, 시몬이야! 찾으러 가야 해!"

"기다려…! 그 오브…. 너는 신에게 중요한 사명을 받았지 않은가? 이 일은 이 늙은이에게 맡겨 보시게. 반드시 그 시몬이라는 자를 찾아낼 테니까."

휴고는 네네의 어깨를 움켜쥐고 눈을 똑바로 바라보며 말했다.

【단서 표에 '시몬 수색', 지시 번호 표에 78이라고 기입】

네네가 성당에 들어가려고 하자 근위병은 손에 든 창으로 네네 앞을 막아섰다.

"예배 허가증을 가져왔는가?"

"아니요, 없어요."

"그렇다면 돌아가!"

390

정글에 뒤덮인 감옥 요새는 그 정체를 모른다면 그저 고대 유적처럼 보인다. 잊혀진 폐허를 덩굴이 뒤덮어 자연으로 돌려놓으려는 듯, 감옥 요새도 밀림에 뒤덮여 있다. 요새의 옥상에는 결투장이 있고 악취미를 가진 요새 관리인이 이곳에서 죄수끼리의 목숨을 건 싸움을 강요하고 있었다.

보초병 두 명이 방패를 쥐고 감옥 요새의 문을 지키고 있다.

➡ 감옥 요새로 들어간다. → 359로

➡ 단서 **차**가 있는 경우 → 390 + 지시 번호 **차**

391 ↪ 370

네네는 교각에 새겨진 수식을 발견했다.

$$\angle \ \diamondsuit \ = \ = 1$$

'이 다리…, 건넌 적이 있는 것만 같아….'

【소녀의 기록란 24a에 '다리 $\angle \ \diamondsuit \ = = 1$'이라고 기입】

392 ↪ 299

선수 대기실의 긴 의자에는 남자 죄수들이 앉아 출전 순서를 기다리고 있었다. 네네는 죄수들의 대화를 엿들었다.

"…그 여자, 자기의 이름과 출전 번호, 그리고 감옥 이름에 운명을 느낀다고 했었지."

"그랬지. 어떤 운명인가? 하고 물었더니 머리를 쓰라더군. 도무지 무슨 의미인지 알 수가 없단 말이야."

오두막에는 노인이 홀로 살고 있었다. 노인은 네네에게 차를 내주었다.

"오늘은 드물게도 손님들이 많이 찾아오니 참 좋구먼."

"저 말고도 누가 또 왔었나요?"

"그대와 비슷한 나이의 사내가 왔었지. 그러니까 이름이…, 뭐라고 했더라. 자꾸 깜빡깜빡해서 말이지."

"할아버지. 저는 오브를 찾고 있어요."

"오브…? 오오, 생각났다. 안식의 탑의 비밀에 방에 있는 오브 말이로군."

"역시 안식의 탑에 오브가 있군요. 비밀의 방은 뭔가요?"

"음. 비밀의 방으로 들어가는 입구는 서쪽 태양이 가르쳐준다고 전해지고 있지."

노인은 안식의 탑을 그림으로 그려서 알려주었다.

"이건 탑 3층을 위에서 본 그림인데 이렇게 서쪽 해가 왼쪽 위에서 오른쪽으로 곧게 비춘단다. 혹시 오브를 발견하면 꼭 내게도 보여 주겠나?"

【소녀의 기록란 4에 '태양은 왼쪽 위에서 오른쪽으로 곧게 비친다'라고 기입】

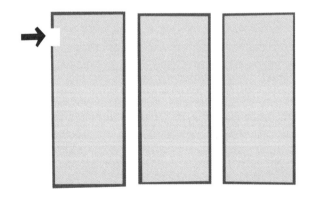

비비의 스텝 덕분에 네네는 컨디션을 되찾고 다시 무대를 장악했다. 네네는 변방의 춤을 끝까지 선보인 후, 환호성을 뒤로하고 무대 뒤편으로 돌아왔다.

"잘했어, 네네. 이것 봐. 모두들 너의 춤에 감동해서 환호성을 보내고 있어! 네 덕분에 오늘 쇼는 대성공이야!"

네네는 멍하니 무대 뒤편의 계단을 내려와 분장실로 걸어갔다. 그때, 통로에 있던 소년이 네네의 걸음을 붙잡았다.

"저…, 매우 밋있는 쇼였어요."

"아, 고마워요!"

네네는 그렇게 말하고 소년의 눈을 바라보았다. 그러자 갑자기 익숙한 듯한 신비로운 느낌에 휩싸였다.

➡️ **되살아나는 기억** → 441로

395

한낮임에도 어둑어둑하여 사람의 침입을 거부라도 하는 듯한 밀림.

짐승의 숲은 깊어서 지도를 갖고 있지 않은 사람이 무심코 발을 들여놓았다면 아마 숲을 빠져나올 때는 백골이 되어 있을지도 모른다. 네네는 짐승들의 낙원을 앞에 두고 오사의 충고를 떠올렸다.

'짐승들이 조용해지기 전에는 절대로 들어가서는 안 된다….'

➡️ **숲속으로 들어간다.** → 277로

➡️ **단서 백이 있는 경우** → 395 + 지시 번호 백

396 ↪ 385

네네는 이동 극장에서 받은 화려한 의상을 입고 흔들다리 근처를 배회했다. 하지만 산적은 나타나지 않는다.

'산적을 만나면 오브가 어디에 있는지 알 수 있을 텐데….'

【단서 비, 지시 번호 비를 삭제한다.】

➡️ **463번 단락으로 돌아가 의상을 다시 선택할 것**

397 ↪ 322

"기억을 지우는 주술을 알고 있다고요?"

네네가 물어보자 박사는 진지한 얼굴로 대답했다.

"…그건 내가 만들어 낸 거야. 옛날에 실험을 위해서 어린 아이 두 명에게 그 주술을 썼다."

"뭐…, 뭐라고요? 당신이 내 기억을 지웠어!"

393
394
395
396
397

"지운 게 아니야. 흡수했을 뿐. 지금도 저장 장치에 남아 있다. 머리가 없는 저장 장치에 기억만 남아 있어. 하지만 그 장치는 실패작이야. 텅 빈 것으로 만들 생각이었는데…, 웃고 있었다…."

"…무슨 말을 하는 거야? 무슨 말을 하는 건지 모르겠어…."

"초콜릿이었어. 초콜릿, 내가 갖고 있다. 갖고 싶은가? 하하하…."

박사의 언행이 혼란스러워지고 있었다. 네네는 하릴없이 오두막을 나서려고 했다.

"브렘…."

박사가 중얼거렸다. 네네는 멈춰 서서 박사를 돌아봤다.

"그 녀석의 이름이다…. 수풀 언덕에 있는 브렘…. 불쌍한 녀석이지…."

【단서 ✱에 '브렘', 지시 번호 ✱에 62라고 기입】

---

398 ↪ 317

아지트의 문이 열리고 촌스러운 남자가 얼굴을 내밀었다.

"힐다…, 두목님 계세요?"

"…이미 산적은 해산했다."

"네?"

"두목이 갑자기 산적을 해산시켰어. 그리고는 서쪽 마을로 떠나버린 것 같아."

---

399 ↪ 311

'잃어버린 줄로만 알았던 오브도 무사히 되찾았고 서쪽 마을로 가면 세 번째 오브에 대한 정보를 얻을 수 있을지도 몰라.'

네네는 다리를 건너 서쌍둥이 섬에 당도했다. 초원을 스치는 바람이 네네의 머리칼을 흩트리고 지나갔다. 남서쪽 산 정상에 장엄한 건물이 서 있다. 그곳에서 서쪽으로 걷다 보니 멀리서 마을이 보이기 시작했다. 네네는 지도를 펼치고 위치를 확인했다.

【MAP 4의 '서쪽 마을'에 345, '선착장'에 320, '암시장'에 270이라고 기입】

400

네네는 잠시 쉬어가기 위해 어촌 술집으로 들어갔다. 술집 안은 소란스럽고 배를 띄우지 못한 선원들은 대낮부터 술에 절어 있었다. 카운터에서 핫밀크를 주문하고 남자들로 북적이는 플로어를 지나 2층으로 향했다.

계단에 올라서자 층계참 위에 멋진 추시계가 보이고, 그 옆에서는 네네와 비슷한 또래의 젊은 소녀가 술집 주인에게 꾸중을 듣고 있다. 소녀는 금방이라도 눈물을 터트릴 듯한 얼굴로 고개를 떨구고 있다.

➡ 그냥 지나친다. → 262로
➡ 도와준다. → 284로

401 ↪ 370

네네는 우물 두레박 바닥에 새겨진 수식을 발견했다.

$$\diagdown \; \clubsuit \; \times = 2$$

'나, 이 우물에 뭔가를 빠트린 적이 있어….'

【소녀의 기록란 24e에 '우물 $\diagdown \; \clubsuit \; \times = 2$'라고 기입】

402 ↪ 305

동굴 안은 어두워서 자세히 보이지 않는다. 시야가 익숙해질 때까지 기다렸다가 어둠 속을 바라보자 땅 위에는 앞을 가로막는 것처럼 커다란 구덩이가 움푹 패 있다.

'꽤 커다란 구덩이구나. 뛰어넘을 수 없을 것 같은데….'

➡ 일단 뛰어넘어 본다. → 469로
➡ 단서 **나**가 있는 경우 → 402 + 지시 번호 **나**

398
399
400
401
402
403

403 ↪ 343

네네는 기념비에서 남쪽을 향해 걷기 시작했다.

'한 걸음…, 두 걸음…, 세 걸음….'

10걸음을 걷고 발밑을 바라보니 오래된 지하수로의 입구가 보였다.

'이 아래가 어릴 적에 놀던 비밀의 장소…? 저기에 가면 내 기억이 되살아날까….'

"아직 이 마을의 생존자가 있다니…!"

뒤를 돌아보자 하얀 망토를 두른 키가 큰 남자가 서 있었다.

"당신은…, 교황?"

"신은 바로 나. 이 섬은 나의 낙원이 된다."

교황은 검을 빼 들었다.

➡ 싸운다. → 367로

➡ 단서 포가 있는 경우 → 403 + 지시 번호 포

404 ⤷ 385

네네는 이동 극장에서 받은 용맹한 기사의 의상을 입고 흔들다리 근처를 배회했다.

➡ 단서 서가 있는 경우 → 404 + 지시 번호 서

405

호수 둔치에는 짧은 부두가 있다. 예전에는 배를 대기 위해서 사용했으나 지금은 낚시꾼이 선호하는 낚시 포인트로 쓰이는 듯하다. 네네가 낚시터를 방문했을 때, 노인이 호수에 낚싯대를 늘어뜨린 채 담배를 물고 있고 그 곁에는 어린 남자아이가 쪼그리고 앉아서 낚싯대 끝을 바라보고 있었다.

"낚시가 잘 되나요?"

네네가 물어보았다.

"잘 안 돼…. 그래도 이렇게 수면에 비친 산과 하늘, 나무를 바라보고 있으면

시간의 흐름을 느낄 수 있단다…."

"그렇구나…."

"가끔은 말이다, 자신을 찬찬히 되돌아보는 것도 좋은 일이지. 그대의 가장 오래된 기억은 뭔가?"

➡ 생각해 본다. → 296으로

➡ 아이와 이야기한다. → 371로

➡ 단서 **카**가 있는 경우 → 405 + 지시 번호 **카**

406 ↪ 313

네네는 안쪽 문을 열려고 했다.

"네네, 이 문을 열면 바로 낭떠러지와 연결되어 있단다. 가끔 교황이 밖을 내다볼 뿐, 평상시에는 열쇠로 잠겨 있지."

➡ 단서 **어**가 있는 경우 → 406 + 지시 번호 **어**

407 ↪ 410

논에서 물소를 끌고 있던 주민은 무희 힐다를 알고 있었다.

"무희가 된 힐다? 혹시 장로님 댁의 힐다를 말하는 거 아닌가? 힐다는 광산 근처에서 발견된 고아였지. 장로님께서 키워주셨어. 광산은 이 마을 동쪽에 있다."

【MAP 5의 '광산'에 315라고 기입】

408 ↪ 379

네네는 에르카라는 집배원에게 말을 걸었다.

"배를 타려고 하시는 거예요?"

"맞아. 곳의 마을에서 편지 전달을 부탁받았는데, 여기에서 배를 타고 가서 산속 마을로 배달해야 하거든. 남쪽 산을 넘을 수 없을까 싶어서 흔들다리까지 가봤는데 산적도 나타난다 해서 다시 되돌아오는 길이야. 오는 길에 기사가 사는 관사가 있었어."

"기사가 사는 관사요?"

"응. 저길 봐. 여기에서 보이지? 저 성처럼 생긴 건물이 관사야."

'…시몬도 마물을 퇴치하고 돌아왔을까?'

【MAP 4의 '기사의 관사'에 430이라고 기입】

409 ↪ 299

옥상 결투장으로 이어진 계단 앞에 서 있는 보초병이 출전자를 관리하고 있는 듯했다.

"…나 참 그 녀석, 어디서 농땡이 부리고 있는 거야. 음, 너는 출전자인가? 출전 번호를 말하라."

"출전 번호?"

"세 자리 번호 말이다."

'…여성 출전자가 되면 시합에 나갈 수 있어….'

➡ **수수께끼를 풀어서 나타나는 숫자에 해당하는 단락으로**

410

나지막한 산 중턱에서 남쪽을 바라보면 한가로운 전원 풍경이 펼쳐져 있다. 따사로운 바람이 불어와 이 섬이 위험에 놓여 있다는 사실을 잊어버릴 것만 같다. 하지만 석화병은 서서히 네네의 몸을 좀먹고 있었다.

'빨리 오브를 찾아야만 해…. 더는 시간이 없어.'

네네는 마을에 도착하면 곧장 연습생 무희, 힐다의 정보를 모으기로 했다.

➡ **마을 사람을 찾는다. → 407로**

411 ↪ 481

네네는 그 곳에서 기다리기로 했다. 예전에도 이렇게 기다린 적이 있었던 것만 같다.

'그 사람을 만나면…, 내 기억이 모두 되살아날 거야…. 왠지 그렇게 될 것만 같아.'

➡ **단서 @가 있는 경우 → 411 + 지시 번호 @**

412 ↩ 353

네네는 석상이 놓여 있는 감옥을 들여다봤다. 바닥에는 크게 '남'이라고 적혀 있다.

413 ↩ 380

네네가 문을 두드리자,
"마물을 퇴치하러 기사님께서 오셨네!"
하며 수장이 억지웃음을 지으며 말했다. 어쩐지 태도가 이상해 보였다.
"저, 남쪽 절벽에서 이 마을로 오려던 기사를 만났어요."
"뭐라고? 그게 언제였는가?"
"바로 어제였어요…. 하지만 벌써 도착했잖아요, 언제였냐니요…?"
네네가 그렇게 말하자 수장은 떨떠름하게 웃으며 지금부터 바쁜 일이 있어서 미안하다고 말하고는 문을 닫아버렸다.

414 ↩ 320

"아, 아가씨! 할아버지의…, 아니 선장님의 병이 나았어요!"
"어머나! 그럼 이제 배를 띄울 수 있나요?"
"물론이죠! 자, 어서 올라타세요!"
➡ 단서 **오**가 있는 경우 → 414 + 지시 번호 **오**
➡ 단서 **오**가 없는 경우는 배에 타지 말고 세 번째 오브를 찾을 것.

415 ↩ 496

'여기는…, 내 방…?'
네네는 다시 한 번 일기를 봤다.
'이 글씨…, 내 글씨야!'
네네는 혼란스러웠다. 이곳이 자신이 태어나고 자란 마을이라는 현실을 네네는 쉽게 받아들일 수 없었지만, 생각하면 할수록 어릴 적 자신이 이 마을에 있었다는 생각이 들었다.
네네는 어린 시절의 일을 기억하지 못하는 게 아니라, 누군가에 의해 기억이

409
410
411
412
413
414
415

지워졌다는 사실을 직감했다.

'신뿐만이 아니야. 내 기억도 지워졌어…. 하지만 만약 내 기억이 돌아온다면 마을에 숨겨져 있는 신의 비밀을 기억해낼 수 있을지도 몰라. 내가 이 마을의 유일한 생존자야. 기억을 지우는 주술을 만든 사람을 찾아서 기억을 되돌리는 방법을 물어봐야 해!'

【단서 **피**에 '네네의 기억', 지시 번호 **피**에 75라고 기입】

【소녀의 기록란 25에 '완전한 기억을 되찾아 신과 가장 가까운 장소를 생각해 낸다'라고 기입】

416 ↪ 385

네네는 이동 극장에서 받은 요염한 의상을 입고 흔들다리 근처를 배회했다. 다리를 건너보았다가 돌아오기도 했지만 산적은 나타나지 않았다.

'이런 옷까지 입었는데도 나타나지 않다니, 산적이 어떻게 된 모양이야.'

【단서 **비**, 지시 번호 **비**를 삭제한다.】

➡ 463번 단락으로 돌아가 의상을 다시 선택할 것

417 ↪ 446

커다란 구덩이가 입을 벌리고 있다. 보고 있기만 해도 빨려 들어갈 것만 같다. 반대편까지는 꽤 거리가 있어서 뛰어넘기는 힘들어 보인다. 네네는 구석에 놓인 촛대를 보자 익숙한 느낌이 들었다.

'…여기는…, 오아시스의 동굴이야!'

네네는 오아시스의 동굴 입구에서 뛰어넘지 못한 구덩이 반대편에 있다는 사실을 알아챘다. 동굴 내부는 해저를 따라 서쌍둥이 섬과 동쌍둥이 섬으로 이어져 있는 듯했다.

418 ↪ 490

"제가 해도 괜찮을까요…?"

"물론이지! 아주 멋진 춤이었어! 꺅."

"자, 정해졌으니 서둘러 음악을 맞춰 보자고! 다행히도 얇은 베일을 준비해 뒀으니 얼굴은 제대로 보이지 않을 테지. 오늘만 무희 비비인척 해주길 바라네!"

"그래도 될까요…?"

단장은 어리둥절한 네네를 부대로 데려가 악단과 함께 리허설을 시작했다.

네네는 연습을 거듭했고 드디어 무대에 오를 시간이 다가왔다.

【단서 🎵에 '리허설 종료', 지시 번호 🎵에 17이라고 기입】

➡ 무대에 오른다. → 258로

419 ↩ 290

다리는 엄청난 힘에 의해 파괴되어 있고, 다리 중간쯤부터 두 개로 쪼개져 있다.

'이 상태로는 서쌍둥이 섬으로 건너갈 수 없어. 가방을 갖고 있는 소년도 여기를 지나진 못했을 거야.'

420

구름 사이로 약간의 햇빛이 새어 나와 안식의 탑 위층에 희미한 빛이 비쳤다. 하늘 위에서는 세찬 바람이 불고 구름의 움직임도 빠르지만, 탑 주변은 이상하리만치 고요하다. 네네는 탑의 문을 열고 들어갔다.

➡ 아래 그림을 참고해서 탐색하라.

☞ 이런 지시가 있으면 배치도를 참고해서 이동해 주세요. 배치도에 적혀 있는 숫자가 그 장소의 단락 번호입니다. 예를 들어 '마룻바닥 모양의 방'으로 가고 싶으면 294번 단락으로, '문'으로 가고 싶으면 316번 단락으로 이동합니다.

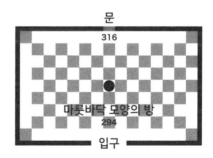

416
417
418
419
420
421

421 ↩ 405

"할아버지. 춤을 추게 만드는 요정이 있나요?"

"음…, 요정 지젤을 말하는가 보구면."

"지젤이요?"

"…산으로 둘러싸인 초원에 신을 모시는 주민이 만든 거석이 있다. 『아침 해가 떠오를 때 마법의 주문을 외우는 자에게 사명의 증거가 잠들어 있는 곳을 알려 주리라』라는 오래된 전설이 전해지고 있지. 그런데 언제부턴가 그 거석에 나쁜 요정이 살게 되었고, 밤이 되면 돌 주변을 빙글빙글 돌면서 죽을 때까지 춤을 추게 만든단다. 요정 지젤은 해가 뜨면 사라진다고 하지만, 해가 뜨기 전에 모두를 죽여 버린다고 한다지."

"어떻게 하면 거석 안에서 해가 뜰 때까지 버틸 수 있을까요?"

"지젤은 눈이 보이지 않아. 발소리만 듣는단다. 지젤에게 들키지 않도록 두 명이 번갈아 가며 춤을 추면 된다."

'누군가 함께 춤출 수 있는 사람을 찾아야겠네…'

【단서 키에 '두 명이 춤춘다', 지시 번호 키에 32라고 기입】
【소녀의 기록란 22에 '함께 춤출 사람을 찾는다'라고 기입】

422 ↪ 500

네네는 언덕 정상에서 춤을 보여 주었다. 카이는 쉬지 않고 손뼉을 쳐서 박자를 맞춰 주었다.

423 ↪ 380

어촌의 수장은 네네를 환영해 주었지만, 얼굴색은 좋지 않다. 부활한 마물을 퇴치하러 오기로 한 기사가 아직 도착하지 않았다는 것이다.

"그런데, 기사의 증거를 가진 사람이 검문소를 지나갔다고 하지 않았나요?"

"음…, 그게 좀… 복잡해졌거든…."

'흐음…, 시몬은 방향치라서 내가 먼저 마을에 도착한 건가…?'

424 ↪ 475

절벽 밑을 걷다 보니 어디에선가 사람의 목소리가 들리는 것 같았다. 그러다 무심코 멈춰 서고 말았다.

'도깨비…?'

설마 하는 생각에 조금 불안해져 주변을 돌아본다.

"…어~이…, 아무도…, 없는가…."

이번에는 또렷하게 들렸다. 남자의 목소리였다. 누군가 도움을 바라고 있는 듯했다. 바위 뒤에 늙은 기사 한 명이 부상을 입고 쓰러져 있었다.

"괜찮아요?"

"오오…, 살았다. 아가씨, 혹시 붕대 대신 쓸 만한 것이 있을까? 절벽에서 떨어져서 다리를 못 쓰게 된 것 같은데."

네네는 갖고 있던 천으로 기사의 다리를 감아 단단하게 묶었다.

"이런 낭떠러지에서 떨어졌는데 이 정도 부상이라니 천만다행이네요."

"남은 건 이 튼튼한 몸 밖에 없거든. 그렇지, 소개가 늦었군. 내 이름은 시몬. 로즈레이 기사단의 시몬이라고 한다."

"변방의 마을에 사는 네네입니다."

"네네, 정말 고맙구먼. 이제 내 임무로 복귀할 수 있겠어. 실은 북쪽 땅에서 악랄한 마물이 부활했다고 하거든. 그래서 내가 기사단에서 파견을 나온 거란다."

"마물이 부활했다고요? 게다가 북쪽 땅이라니…. 여긴 섬의 남쪽 끝인걸요."

"뭐라고! 반대쪽이었구먼. 수풀 언덕을 걷다 보니 갑자기 귀신같은 게 나타나서 발을 헛디디고 말았거든…. 어라? 지도를 잃어버린 모양인데…."

"내 지도를 보세요."

"고맙지만 내가 갖고 있던 지도는 이 지도보다 북쪽 지역의 지도였어. 할 수 없지. 이 물통이 무사한 것만으로도 신에게 감사할 일이야."

"아까부터 이 물통을 소중하게 안고 계시네요?"

"그럼, 이거야말로 기사의 증거니까, 아주 중요한 물건이지. 이제 서둘러야겠네. 네네, 고맙네. 또 어디선가 만나지! 핫핫핫!"

늙은 기사는 네네에게 인사한 뒤 다리를 절뚝절뚝 절면서 사라졌다.

【단서 천에 '기사 구조', 지시 번호 천에 7이라고 기입】

422
423
424

교회에 있던 수녀의 말에 의한다면 이 집에 사는 지질학자는 다소 기분파인 것 같았다.

네네는 문을 노크하고 사람을 불렀지만 돌아오는 대답이 없다. 몇 번의 노크를 반복하다가 포기하고 마을로 돌아오려던 차에, 삐걱하는 문소리가 나더니 그 틈으로 잔뜩 찌푸린 표정의 남자가 네네를 노려보고 있었다.

"무슨 일이지?"

"저…, 오브를 찾고 있어요. 당신이 뭐든지 알고 있기로 유명하다고 해서 찾아왔어요."

"…바빠. 다음에 다시 오도록 해."

"지질 연구를 하고 계신가요?"

"…그래. 섬 밖에서 채집한 비교 자료가 있으면 좋겠지만…, 아무튼 바쁘다고! 돌아가도록 해."

학자는 그렇게 말하고는 문을 닫아버렸다.

➡ 단서 **기**가 있는 경우 → 425 + 지시 번호 **기**

네네는 젊은 소녀들의 수다에 귀를 기울였다.

"너 그거 들었어? 그 산적들이 해산했대!"

"들었어! 성실해진 산적들이 암시장에서 일하고 있었어!"

"출전 번호 427번. 결혼사기범 아수라로군. 한 명만 더 이기면 우승이다. 자, 이 검을 가지고. 이제 출전할 차례다."

보초병은 네네에게 검을 쥐어 주고, 얇은 철로 만든 가면을 씌웠다.

"가면이 조금 큰 것 같군…. 할 수 없지, 그냥 가."

➡ 결투장으로 간다. → 456으로

428 ⤶ 365

대지의 오브를 보여주자 신선은 맡아 두었던 세 개의 오브를 네네에게 돌려주며 말했다.

"네네여…, 이제 네 개의 오브의 힘을 모아 오브가 인도하는 장소로 가도록 하라. 그 곳에서 신의 선택을 받은 자로서 사명의 지팡이를 받을 것이다. 사명의 지팡이는 석화병을, 아니 이 섬을 구하기 위해 필요하다. 지팡이를 받으면 다시 이곳으로 돌아오라."

【소녀의 기록란 20에 '사명의 지팡이를 손에 넣은 뒤 신선을 만나러 간다'라고 기입】

➡ 네 개의 오브에 나타난 지시 번호를 합하여 나타나는 숫자에 해당하는 단락으로

429 ⤶ 337

문지기는 네네의 가방을 보고 무언가를 떠올린 듯했다.

"…비슷한 가방을 갖고 있는 소년이 이곳을 지나갔어."

"왜 그 소년이 내 가방을 갖고 있는 걸까…? 고마워요, 문지기님!"

"북쪽에서 마물이 부활했다고 하더군. 아무쪼록 조심히 가도록 해. 어라? 너는 이다음 지도가 없는 모양이구나. 그렇다면 이 지도를 가져가도록 해."

문지기는 네네에게 지도를 건네주고 북쪽 어촌으로 가는 길을 설명해 주었다.

【MAP 3을 펼친다.】

【MAP 3의 '수장의 집'에 380, '술집'에 400, '우물'에 265, '여관'에 330, '호수 낚시터'에 405, '망가진 다리'에 290이라고 기입】

【소녀의 기록란 7에 '사라진 두 개의 오브를 찾는다'라고 기입】

425
426
427
428
429

430

드넓은 전원의 풍경이 펼쳐져 있고, 그 건너편에 벽으로 둘러싸인 관사가 우두커니 서 있다.

문을 지나니 과수원과 창고, 텃밭 등이 있고 남자들이 농기계를 옮기고 있다.

➡ 남자들에게 말을 건다. → 474로

➡ 단서 **소**가 있는 경우 → 430 + 지시 번호 **소**

431 ⤴ 500

광장에는 기념비가 세워져 있다. 카이는 기념비를 바라보며 그곳에 새겨진 문자를 읽었다.

"쌍둥이 섬 발견을 기념하는 비…."

'흐음. 언젠가 둘이서 쌍둥이 섬을 벗어나 보고 싶어!'

【소녀의 기록란 29에 '바라본 기념비'이라고 기입】

➡ 남쪽으로 10걸음 걷는다. → 473으로

432 ⤴ 493

➡ 아래 그림을 참고해서 탐색하라.

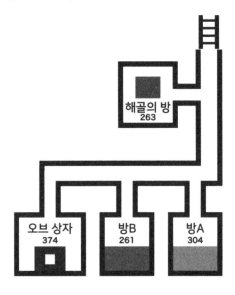

433 ↪ 456

네네는 혼란스러운 머릿속을 정리하지 못한 채 소년 죄수의 왼쪽 가슴을 검으로 찔렀다. 분명 네네의 검은 왼쪽 가슴을 관통했지만, 아무런 감촉이 없었다. 소년은 단 한 방울의 피도 흘리지 않은 채 쓰러졌다.

관중석에서 함성이 울려 퍼졌지만, 네네에게는 자신의 심장 박동 소리만 들릴 뿐이었다.

'…죽인 건가? 내가…, 사람을 죽였어…'

네네는 소년 죄수에게서 눈을 떼지 못했다. 그러자 소년 죄수는 쓰러진 채로 손을 살짝 움직이더니 네네를 향해 엄지손가락을 들어 올려 보였다.

'…살아 있어!'

네네는 안도의 한숨을 내쉬고 가슴을 쓸어내렸다. 보초병이 와서 대지의 오브를 네네에게 건네주고 우승자의 자격으로 자유를 주었다.

'이제 네 개의 오브를 모두 모았어. 산 정상에 있는 사당으로 가서 신선에게 보여줘야 해.'

【단서 치에 '대지의 오브', 지시 번호 치에 63이라고 기입】

434 ↪ 272

네네는 종에 매달린 밧줄을 당겼다. 추가 움직이고 안식의 종에서 가벼운 음색이 울려 퍼졌다.

'정말 좋은 소리야…'

435

한 사람이 겨우 통과할 만큼 좁고 굽이진 산길을 따라 네네가 걸어 올라갔다. 완만한 경사의 잡목림은 한낮에도 스산한 분위기를 자아낸다.

조금만 더 오르면 언덕의 정상에 다다른다는 생각으로 고개를 들어 위쪽을 바라보자, 근처의 수풀에서 바스락 소리를 내며 무언가가 움직였다.

➡ 자세히 들여다본다. → 292로

➡ 꺼림칙한 기분이 들어 돌아갈 때는 지도로 돌아갈 것.

➡ 단서 ✱이 있는 경우 → 435 + 지시 번호 ✱

430
431
432
433
434
435

네네는 식사를 끝낸 후 방으로 돌아가 침대에 드러누웠다.

고단한 여행에 지친 네네는 금세 쌕쌕 숨소리를 내며 꿈속으로 빠져들었다.

주위를 에워싼 관중석에서 관객의 함성이 들려온다. 지면은 단단한 흙이고 네네는 맨발로 그 위에 서 있다. 손에는 날카로운 검이 들려 있다.

'여기가…, 어디지?'

네네의 눈앞에는 소년 한 명이 마찬가지로 검을 들고 자세를 취하고 있다. 소년은 네네를 향해 달려오더니 검을 머리 위로 치켜들었다.

순간 놀란 네네는 비명을 지르며 마구 검을 휘둘렀다. 네네가 휘두른 검은 소년의 오른쪽 가슴을 관통하였고 소년은 피를 토하며 쓰러졌다.

검을 타고 따뜻한 피가 네네의 오른손으로 흘러내렸다. 피범벅이 된 떨리는 오른손을 바라보자 완전히 돌이 된 손이 바스러지듯 떨어지고 있었다.

네네는 소리를 지르며 눈을 떴다. 시간은 벌써 아침이 되어 있었다.

"좋은 아침이야, 네네. 잘 잤어? 있지, 이건 뭐일 것 같아? 어려워 보이는 책에서 찢어진 부분인데."

소녀는 찢어진 부분에 쓰인 문자를 읽었다.

"E=70, I=10, S=40, O=30…, 으음…, 예전에 오빠가 마물의 궁전 근처에서 주운 거야. 어? 네네, 안색이 어두워 보여."

"…괜찮아. 조금 불길한 꿈을 꿨을 뿐이야."

"저런. 그럼 이곳을 떠나기 전에 예배당에서 기도하면 좋을 거야. 위치를 알려줄게."

【MAP 3의 '예배당'에 335라고 기입】

【소녀의 기록란 9a에 'E=70, I=10, S=40, O=30'이라고 기입】

'요새의 오브를 얻으려면 죄수 결투 시합에 출전하는 수밖에 없겠어…. 그렇지! 벼랑 위의 성당에서 소란을 피우면 체포당해서 즉시 감옥에 갇힐 거야!'

438 ↱ 365

네네는 원형 거석에서 사명의 지팡이를 받은 사실을 신선에게 전했다.

"네네여…, 대견하게도 여기까지 잘 견뎌 주었구나. 나는 이 산 정상에서 교황의 일기를 들여다볼 수 있었다. 그 소년이 일기를 펼쳐준 덕분이다. 신이 그 지팡이를 그대에게 맡긴 이유는 신이 빼앗긴 기억을 되찾기 위해서다!"

"신이 기억을 빼앗겼다고요…?"

"그렇다…, 신이 기억을 잃은 탓에 이 섬의 질서가 흐트러지기 시작했구나. 잘 들어라, 네네. 그 지팡이는 아직 완전한 상태라 할 수 없다.

지팡이 끝에 세 개의 보석을 끼우면 바다도 가를 수 있는 힘을 얻게 될 것이다. 남쪽에 로즈레이의 기사단이 멸망시킨 마을이 있다. 그 마을은 신의 비밀을 지켜온 마을이지. 이제 초원쪽으로 빠져 나가는 지름길을 알려 주도록 하마. 그대의 여행도 이제 조금밖에 남지 않았구나…."

【MAP 6을 펼친다.】
【MAP 6의 '멸망한 마을'에 370이라고 기입】
【소녀의 기록란 23에 '사명의 지팡이에 세 개의 보석을 끼워 바다를 가른다'라고 기입】

439 ↱ 411

지하수로의 출구가 열리고 소년이 얼굴을 내밀었다. 두 사람은 얼굴을 마주 보았다.

"…네가…!"

"너였구나…!"

"…오랜만이다."

"응."

"우리 힘으로 이 마을에 숨겨져 있는 신의 비밀을 기억해 내야 해."

"옛날에 마을에서 지내던 때를 기억해 내는 거지?"

"맞아. 너의 이름은…"

"너의 이름은…"

➡ 단서 🔵가 있는 경우 → 439 + 지시 번호 🔵

436
437
438
439

곶의 마을 북쪽에는 교역장이 있으며 떠돌이 상인이 공예품과 지역 특산품을 늘어놓고 판매한다. 네네의 아버지도 떠돌이 상인으로, 변방의 마을과 이 교역장을 자주 왕래했다.

교역장 구석에는 허술해 보이는 오두막이 있으며 빛바랜 간판에 '술집'이라고 적혀있는 글씨가 간신히 보일 정도였다.

➡ **떠돌이 상인들과 이야기한다.** → 254로
➡ **허름한 오두막 술집으로 들어간다.** → 342로

왠지 어두운 곳이다….
빛이 천천히 깜빡이고 있다…. 차가운 공기….
작은 의자가 있다…. 부서질 것만 같다….
이 벽의 얼룩…. 본 적 있어….
똑똑똑 똑 똑
노크 소리….
"역시 여기 있었구나."
…누구지?

"무슨 일이 있나요?"
"…, 어? 아, 아니, 칭찬해 주니 기분이 좋네요. 당신은 여행 중인 건가요?"
"네. 성당에 가고 싶은데 허가증을 갖고 있지 않아서 들어갈 수가 없네요."
"성당은 기사단의 본거지예요. 저, 지인 중에 기사가 있는데 그 사람에게 부탁하면 성당으로 들어갈 수 있지 않을까요? 시몬이라고 하는 사람이에요. 기사의 관사에 돌아왔다면 좋겠는데…."
네네는 소년에게 관사의 위치를 알려 주었다.
"꺅~! 네네! 최고의 춤이었어!"
비비가 달려와 네네를 거세게 끌어안았다.
네네는 비비의 기세에 밀려 그대로 단장이 있는 분장실로 들어갔다.

【소녀의 기록란 13에 '노크 소리', 14에 '부서질 것 같은 의자'라고 기입】
➡ **분장실로 들어간다.** → 463으로

442 ↪ 365

산 정상에 있는 사당 안에는 수염을 늘어뜨린 노인이 의자에 기대어 잠들어 있었다.

"변방의 마을이 낳은 소녀…, 네네로구나…."

네네는 신선이 깨어 있었다는 것과 자신의 이름을 알고 있다는 사실에 놀랐다.

"네…, 맞아요. 신의 사명을 받아 오브를 찾고 있어요."

"…쓸데없는 말은 하지 않으마…. 지금까지 모은 세 개의 오브를 나에게 맡기거라…."

➡ **오브를 맡긴다. → 303으로**

➡ **맡기지 않는다. → 252로**

443 ↪ 371

네네는 검문소의 문지기가 불렀던 용감한 기사 엔데의 노래를 불러 주었다.

"누나, 노래 잘하는구나! 신기한 팔찌~. 아하하! 이 노래 좋다. 마음에 쏙 들어."

【단서 루에 '노래하는 아이', 지시 번호 루에 88이라고 기입】

444 ↪ 484

감옥 벽을 조사하다 침대 옆에서 휘갈겨 쓴 글씨를 발견했다. 이 감옥에서 숨이 끊어지기 직전의 죄수가 남긴 것 같았다. 네네는 그 문장을 읽었다.

"…마을에 남겨둔 딸이 신경 쓰인다…. 친딸처럼 키웠다…."

거기까지 읽었을 때 네네는 온몸의 피부가 얼어붙는 듯한 느낌이 들었다. 석화병이 갑자기 진행되는 것만 같은 착각마저 들었다.

'설마…, 야코피 아버지가 이 감옥에…?'

네네는 떨리는 목소리를 억누르며 계속 읽었다.

"…감옥방은 모두 12곳. 감옥방에는 각각 이름이 있고, 여기는 포이닉스의 감옥이다."

【소녀의 기록란 19a에 '네네가 있는 곳은 포이닉스의 감옥'이라고 기입】

440
441
442
443
444

"그럼, 이게 좋겠어요."

"아니? 이런 의상을 원한다니 특이하구나. 이 검은 물론 가짜지만. 자, 가져가 거라."

"단장님, 고마워요!"

"하하하, 네 멋진 춤을 볼 수 있어서 정말 좋았다! 그런데 실수로라도 그 의상을 입은 채 흔들다리에 가서는 안 된다. 산적이 흔들다리에 나타나는 기사를 노리고 검을 빼앗으려는 모양이야. 우리 극단이 습격당한 것도 진짜 드문 일이라고."

【단서 **비**에 '기사의 의상', 지시 번호 **비**에 19라고 기입】

➡ 아래 그림을 참고해서 탐색하라.

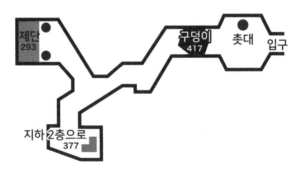

너네는 서쪽 창을 통해 밖을 바라보았다. 바다 건너편에서 남쪽 방향으로 너네가 여행을 떠나온 마을이 보인다. 태양은 서쪽으로 꽤 기울어 있고 햇빛이 곧게 탑을 비추고 있다.

448 ↩ 439

"**너**는···, 네네."

"너는 카이구나···."

두 사람의 기억이 완전히 되살아났다.

"이 목걸이를 걸고 둘이 함께 이 마을을 나왔지."

"우리는 옛날에 여기서 신이 낸 수수께끼를 풀었어."

"지금이라면 모두 기억해낼 수 있을 거야."

"응. 모두 기억해내서 신과 가장 가까운 곳으로 가자."

네네와 카이는 목걸이를 걸고 어릴 적을 회상했다.

➡ **기억의 저편으로 떨어진다. → 500으로**

449 ↩ 414

네네는 선원을 따라 배에 올라탔다. 이동 극장에서 단장이 말했던 극단을 그만둔 무희 힐다의 출신지인 산속 마을로 가보기로 한 것이었다.

배는 해안을 벗어나 내륙을 따라 서쪽으로 이동했다. 네네는 언젠가부터 파도의 움직임에 몸을 맡기고 잠에 빠져들어 있었다.

다음 날 아침, 눈을 뜨고 밖을 내다보자 멀찍이 울창한 정글이 펼쳐져 있다. 배는 정글로 다가가 서쪽 선착장에 정박했다. 네네가 배에서 내리자 젊은 선원이 다가왔다.

"너, 이곳은 처음이지? 이 지도를 가져가면 도움 될 거야. 여기가 감옥 요새. 기분 나쁜 곳이니까 가까이 가지 않는 게 좋을 거야. 그리고 이 산을 오르면 산 정상에 사당이 있어. 거기엔 신선이 산다고 하지."

네네는 선원에게 감사 인사를 하고 선착장을 뒤로했다.

【MAP 5를 펼친다.】

【MAP 5의 '감옥 요새'에 390, '산정상 사당'에 365라고 기입】

450

서쌍둥이 섬의 최남단에는 인도의 사당이 있다. 바다는 거칠고, 뭐든지 집어 삼킬 듯한 거센 파도가 바위에 부딪쳐 부서진다.

서쪽 먼 곳에 작은 섬이 있는 것 같지만 안개 탓에 잘 보이지 않는다.

➡ 단서 **후**가 있는 경우 → 450 + 지시 번호 **후**

451 ↪ 370

마을 중심에서 약간 서쪽으로 치우친 집은 다른 집들보다 원래 모습을 유지하고 있었다. 문은 잠겨있지 않았지만 잘못 지어진 탓인지, 파괴되었을 때의 충격으로 문틀이 휘어진 탓인지, 네네는 문을 열 수가 없었다.

452 ↪ 360

네네는 오아시스의 동굴에서 두 개의 오브를 잃어버린 사실을 촌장에게 전했다.

"그것참 이상한 일이구나…. 가방 째로 사라지다니…. 어떻게 생긴 가방인 게야?"

네네는 동굴에서 주운 가방을 촌장에게 보여주었다.

"이것과 똑같이 생긴 가방이에요."

"…음? 최근에 어딘가에서 이렇게 생긴 가방을 본 것 같은데."

"네?"

"그래. 분명 여기에 왔었던 소년이 갖고 있던 가방하고 비슷하구나. 그 소년은 검문소를 지나서 북쪽 어촌으로 간다고 했는데."

"왜 그 소년이…. 고마워요, 촌장님. 검문소로 가볼게요."

453 ↪ 299

의무실에 들어가자 덩치 큰 남자가 부상을 입고 치료를 받고 있었다.

"아야야야…, 저 여자 너무 강하잖아! 벌써 두 명이나 이겼다고. 어? 유일한 여자 출전자라고 했는데 너도 출전하는 거야?"

"네? 저는…, 그냥 팬이에요!"

네네는 허둥지둥 둘러대고 의무실을 빠져나왔다.

454 ➡ 458

네네는 안식의 탑에서 발견한 오브와 사명의 편지를 촌장에게 보여주었다.

"오오…, 이게 오브로구나. 나도 처음 본단다. 것 참 무거운 사명이겠구나."

"혹시 오브에 대해서 알고 계신 게 있나요?"

"그럼 알고 있고말고. 오브는 오아시스의 동굴 깊은 곳에 모셔져 있다고 하더구나."

"오아시스의 동굴이요?"

네네가 말함과 동시에 온몸이 검은 남자가 현관을 기세 좋게 걷어차며 나타났다.

"목숨이 아깝거든 그 오브를 이리 내놔!"

강도는 날카로운 칼을 네네와 촌장을 향해 들이밀었다.

"네놈은 누구냐! 이…, 이 오브는 네 녀석 따위가 다룰 수 있는 물건이 아니다. 저리 물러서!"

"시끄럽다, 영감. 그걸 암시장에 내다 팔면 값을 두둑이 받을 수 있다고. 어서 이리 내!"

강도는 칼을 촌장의 눈앞에 갖다 댔다.

➡ **오브를 건네준다. → 266으로**

➡ **강도와 싸운다. → 314로**

➡ **단서 거가 있는 경우 → 454 + 지시 번호 거**

455

변방의 마을에 있는 족장 오사는 신의 계시를 받는 예언가다. 예언가는 축제 기간이 되면 신의 목소리를 듣기 위해 기도와 명상을 반복한다.

올해도 두 개의 별이 반짝이기 2주 전부터 오사는 명상을 시작했다. 마침 풍랑이 일면서 쌍둥이 섬을 에워싼 그날이었다. 오사는 3일 동안 사당에 틀어박혀 있었지만, 한 번도 신의 목소리를 들을 수는 없었다.

이런 일은 처음 있는 일이었다. 무엇보다 돌풍 때문에 석화병을 고칠 수 있는 약초를 구할 수 없게 된 일이 변방의 마을 주민들을 불안에 떨게 했다.

450
451
452
453
454
455

➡ 안으로 들어간다. → 267로

☞ 다음은 267번 단락으로 이동합니다. 만약 선택지가 여러 개 있을 때는 다음으로 하고 싶은 행동을 선택한 다음 해당 단락으로 이동합니다.

456 ↪ 427

네네는 결투장 계단을 올라갔다. 한 계단 한 계단 오를 때마다 함성이 커지더니 결투장에 섰을 때는 자신의 목소리조차 들리지 않을 정도였다. 정면에는 네네처럼 철 가면을 쓴 죄수가 검을 들고 있다. 얼굴은 보이지 않지만, 소년처럼 보였다. 시합의 시작을 알리는 팡파르가 울려 퍼지자 소년 죄수는 검을 쥐고 자세를 취했다.

'일단 출전을 하긴 했지만…, 곤란하게 됐어. 내가 죽을 수도, 그렇다고 사람을 죽일 수도 없는 노릇이니….'

네네는 검을 든 채로 미동도 없이 서 있었다. 관중석에서는 떠들썩한 야유가 들려오고 물건이 마구 날아들었다. 누군가 던진 쓰레기가 철 가면에 맞아 네네의 가면이 벗겨졌다.

'뭐야! 전사에게 물건을 던지다니 예의가 없구나!'

네네는 가면을 주워 금세 고쳐 썼다.

'잠깐…, 이 광경 어디에선가…, 맞아! 어촌 여관에서 꿨던 꿈…. 나는 이 사람의 오른쪽 가슴을 찔렀어….'

소년 죄수는 왼쪽 주먹을 쥐었다.

'…그리고 예배당에서 시몬을 만나서…, 엇…? 저 신호는…?'

소년 죄수는 네네를 향해 달려왔다.

➡ 오른쪽 가슴을 찌른다. → 333으로
➡ 왼쪽 가슴을 찌른다. → 433으로

457 ↪ 404

그때 바위 뒤에서 산적 한 명이 뛰쳐나왔다.

네네는 산적의 등장에 놀랐지만, 이 기회를 놓치지 않으려고 그 산적에게 다가 갔다. 그러자 산적은 부드러운 목소리로 네네에게 말했다.

"저…, 저기…, 어디에서 오셨나요?"

"뭐?"

"오늘 어디에서 오셨나요?"

"아, 그래, 남쪽 변방의 마을에서 왔어, 으흠, 왔다. 자네는 산석인가?"

"아무리 봐도 산적이죠."

"오브에 대해서 아는 것이 없나?"

"오브…? 두목이 말했던 성당의 보물을 말하는 건가요?"

"응! 혹시 빛이 나는 구슬이 아니었어?"

"그러고 보니 그런 말을 했던 것 같기도 하고…."

"성당에 있구나! 고마워! 그럼 안녕."

"아, 아…, 잠시만요. 저…, 검을 주실 수 없을까요?"

"검? 여기 있어."

네네는 산적에게 검을 주고 그 자리를 떠났다.

'성당에 오브가 있어! 좋아, 어서 가보자.'

【단서 소에 '성당의 보물', 지시 번호 소에 61이라고 기입】
【소녀의 기록란 12에 '벼랑 위의 성당에 세 번째 오브가 있다'라고 기입】

458 ↪ 360

곶의 마을 촌장의 집을 찾았다. 촌장은 마침 잠시 쉬려던 참이었다며 차를 내주었다.

"오오, 벌써 5시가 다 되었구먼…. 그나저나 무슨 용건이 있어서 이 마을에 왔는가?"

➡ **사명의 편지와 오브를 보여준다. → 454로**

459

구름 사이로 눈부신 햇살이 비치고 잔잔해진 바다는 황금빛으로 물들었다. 거센 풍랑이 그치고 따스한 바람과 햇빛이 쌍둥이 섬을 감싸 안았다.

휴고는 갑판에 서서 반짝이는 바다를 바라보았다.

시몬은 검을 칼집에 넣고 화창한 하늘을 올려보았다.

교황은 성스러운 빛에 눈뜨고 자신의 행동을 회개했다.

힐다는 태양 빛을 반사하는 엔데의 묘지를 지긋이 바라보았다.

비비는 빛 가운데서 춤추고, 페텔과 류류는 축복받았다.

미트라와 야코피는 손을 잡고 하늘을 올려보며 사명을 완수한 딸을 생각했다.

오사도, 마물도, 에르카도, 신선도, 섬 주민 모두가 환희의 함성을 지르며 당신에게 감사했다.

브렘은 박사의 가슴 속에서 천천히 눈을 떴다.

"…박사…, 박사님이 초콜릿을 준 기억이 남아있어. 지금 기억났어…. 나만의 기억…."

박사는 나뭇잎 사이로 스며드는 햇살에 비친 브렘을 소중하게 어루만졌다.

"너와 나의 추억이야. 이제부터 둘이 함께 살자."

브렘은 희미하게 미소 지었다.

다음 날, 두 사람은 휴고의 배에 올라타 쌍둥이 섬을 떠났다.

네네는 카이의 고향에서 석화병을 치료할 약초를 구했다.

그리고 다시 섬으로 돌아갈 때가 다가오자 카이는 네네를 항구까지 배웅해 주었다.

네네는 배 위의 사다리에서 뒤돌아보고, 카이의 가슴을 찌르는 시늉을 하며 말했다.

"잊어버리면 안 돼!"

"이제는 절대 잊지 않아."

배는 돛을 펼치고 시원한 바람을 맞으며 해안에서 서서히 멀어졌다. 서로의 모습이 점점 멀어지다가 풍경 속으로 사라지자 손에 들고 있던 쌍둥이 목걸이를 바라보았다. 서로 맞바꾼 목걸이 뒷면에는 상대방의 이름이 새겨져 있다.

460

황량했던 평야 위에 스트라이프 모양의 천막이 서 있다. 천막 가장자리에 꽂힌 깃발은 바람에 나부끼고, 리허설을 앞두고 트럼펫과 콘트라베이스를 튜닝하는 소리가 들려온다.

➡ **안으로 들어간다.** → 327로

➡ **단서 보가 있는 경우** → 460 + 지시 번호 보

➡ **단서 커가 있는 경우** → 460 + 지시 번호 커

➡ **단서 투가 있는 경우** → 460 + 지시 번호 투

461 ↪ 335

네네는 수녀의 기도가 끝나기를 기다렸다가 말을 걸었다.

"5년 전, 용감한 기사 엔데 님이 마물을 쓰러뜨렸고 마물은 신에 의해 봉인되었어요. 그런데 엔데 님은 그 후에 바로 병으로 죽고 말았답니다. 그런 용감한 기사님이 다시 나타나 마을을 구해주기를 신에게 기도하고 있었어요. 네? 오브 말인가요? 아쉽게도 저는 아무것도 아는 게 없답니다⋯."

462 ↪ 300

동굴은 바닷물이 들어차 있어 안으로 들어갈 수는 없다. 네네는 동굴 안으로 들어가기를 포기할 수밖에 없었다.

463 ↪ 441

비비와 단장은 네네의 춤을 칭찬해 주었다.

"정말로 멋진 춤이었어!"

"비비의 스텝 덕분에 다시 페이스를 찾을 수 있었어요. 비비 덕분이에요."

"나도 무대 뒤에서 네 춤을 보고 있자니 힐다의 춤이 생각났어."

"힐다?"

"5, 6년 전에 극단에 있었던 연습생 무희란다. 여기에서 남쪽 멀리에 있는 산속 마을 출신이었지. 힐다는 장래가 유망한 무희였는데 갑자기 극단을 그만두고 나가버렸어."

"저런, 무슨 일이 있었던 거죠?"

"반지가 이러쿵저러쿵 한 것 같은데…. 아니, 오브라고 했던가?"

"엇! 오브?"

"응. 자세히 생각나진 않지만 분명 그런 말을 했었지. 극단을 그만둔 뒤로 어떻게 됐는지는 몰라. 고향으로 돌아갔을지도 모르지."

"산속 마을 말이죠?"

"그래. 그것보다 약속한 대로 의상을 가져가도 좋아. 아무거나 마음에 드는 것으로 골라봐!"

【소녀의 기록란 15에 '오브에 대해 알고 있는 무희 힐다를 찾는다'라고 기입】

➡ 화려하고 값비싸 보이는 의상을 고른다. → 278로

➡ 요염한 의상을 고른다. → 354로

➡ 용맹한 기사의 의상을 고른다. → 445로

464 ↪ 375

네네는 안식의 탑에서 찾은 오브를 노인에게 보여주었다.

"오오! 이게 오브로구나…. 이 어찌나 아름다운고."

"할아버지, 다른 오브에 대해서 알고 계신 게 있나요?"

"아쉽게도 다른 오브에 대해서는 알고 있는 게 없단다. 짐승의 숲을 북쪽으로 빠져나가서 다리를 건너면 곶의 마을이 있지. 그곳에 가면 단서를 찾을 수 있을지도 모르겠구나. 만약 계속 여행을 하려거든 이 지도를 가져가거라. 아까도 네 또래의 소년이 북쪽으로 갔는데 깜빡하고 지도를 주지 못했지 뭐냐."

네네는 노인에게 지도를 받아들었다.

【MAP 2를 펼친다.】

☞ 앞으로도 지시가 있을 때마다 그 번호에 해당하는 지도를 펼치고 지금까지 사용한 지도와 연결해 주세요.

【MAP 2의 '곶의 마을'에 340, '교역장'에 440, '촌장의 집'에 360, '교회'에 255라고 기입】

465

궁전은 동쪽 반도 끝에 있으며 네네는 궁전에 도착하기까지 꽤 많은 체력을 소모했다. 울창하게 우거진 숲에서 폐허와 같은 궁전의 지붕이 빼꼼히 보인다. 점점 좁아지는 오솔길을 걷다 보니 머지않아 궁전의 돌문이 보이기 시작했다.

➡️ 궁전의 돌문을 연다. → 324로

➡️ 단서 **머** 가 있는 경우 → 465 + 지시 번호 **머**

466 ↪ 500

네네는 침대 위에서 신음하고 있었다. 악몽을 꾸고 있는 듯했다.

"으으…, 마을이…, 마을이 다 타버리겠어…!"

467 ↪ 283

조각상이 말한 대로 따르니, 네네의 눈앞에 신비로운 조각배가 나타났다.

"자…, 어서 타시지요…. 괜찮습니다…."

네네를 태운 조각배는 파도 사이에 떠 있는 무언가를 향해 천천히 움직이기 시작했다.

가까이에서 보니 손때 묻고 낡은 숄더백이었다. 네네는 가방을 주워 안을 열어보았다. 가방 속에는 본 적도 없는 파란 돌이 들어 있었다.

"참 아름답고 신기한 돌이네…. 이건 분명 먼 나라에서 온 돌일 거야."

육지로 돌아온 조각배는 천천히 사라져가고, 뱃사람 조각상에도 빛이 사라졌다.

【단서 **기** 에 '신기한 돌', 지시 번호 **기** 에 47이라고 기입】

464
465
466
467

468 ↪ 323

주문을 외우자 햇빛이 거석에 반사되어 지면의 어느 한 곳을 가리켰다. 네네가 그 곳을 파니 땅 속에서 지팡이가 나타났다.

지팡이 끝은 세 곳이 움푹 패여 있어, 어떤 물건을 끼울 수 있게 되어 있다.

'…이게 사명의 증거. 산 정상에 있는 사당으로 가서 신선에게 알려줘야겠어.'

【단서 토에 '사명의 지팡이', 지시 번호 토에 73이라고 기입】

469 ↪ 402

'힘들 것 같기는 하지만…, 이 안에 오브가 있는 거지?'

네네는 뒤로 물렀다가 힘차게 달려와 도움닫기를 했다.

닿지 않을 것 같다는 생각에 손을 뻗어보지만, 이미 되돌릴 수 없다.

소녀는 칠흑 같은 어둠 속으로 빨려 들어갔다. 둔탁한 소리가 한 번 울리고는 동굴은 또다시 적막감이 흘렀다.

GAME OVER

470

산속 마을의 장로 얀카는 호숫가의 작은 집에 살고 있다. 얀카는 섬에 변화가 일어난 시점부터 급격히 쇠약해졌고, 네네가 방문했을 때도 침대에 누워 쉬고 있었다.

➡ 연습생 무희 힐다에 대해 물어본다.
   → 268로

471 ↪ 299

네네는 창고를 들여다보았다. 보이지 않는 곳에서 남녀의 목소리가 들려왔다.

"이제 결투 시합 같은 건 아무런 의미 없어."

"아아, 아수라…, 강한 당신은 아주 매력적이야. 나와 함께 도망치자. 아수라…."

【소녀의 기록란 19d에 '여자 죄수의 이름은 아수라'라고 기입】

472 ↪ 425

네네는 닫히는 문을 향해 말했다.

"저…저, 이거, 신기한 돌을 주웠어요!"

"신기한 돌이라고?"

학자는 불쑥 고개를 내밀고는 네네가 가져온 돌을 찬찬히 들여다보았다.

"정말 신기하구나! 이걸 어디에서 주웠지?"

"마음에 들었다면 드릴게요. 혹시 오브에 대해서 뭔가 알고 있는 게 있나요?"

"알고말고. 오아시스의 동굴에 있다고 들었다. 그 동굴에는 몇 번이나 돌을 채집하러 갔었으니까… 동굴에 들어가면 곧장 햇불을 피우는 촛대를 잘 살펴 보거라. 숨겨진 통로가 있을 거야. 이 햇불을 가져가도 좋다."

【단서 **나**에 '기분이 좋아짐, 숨겨진 통로', 지시 번호 **나**에 91이라고 기입】
【소녀의 기록란 5에 '오아시스의 동굴에 있는 오브를 찾는다'라고 기입】

네네는 지하수로를 따라 비밀의 장소로 갔다. 한참을 걷다 보니 카이가 다가왔다.

두 사람은 마을에 있던 비밀 서적 2권을 가지고 와서 비밀의 장소에서 펼쳤다. 카이는 초록색 책, 네네는 빨간색 책에 담긴 비밀을 풀어야만 한다. 네네가 가진 빨간색 책에는 수수께끼의 표가 실려 있다.

➡ **수수께끼를 풀어서 나타나는 숫자에 해당하는 단락으로**

474 ↩ 430

네네는 농기계를 옮기고 있는 남자들에게 말을 걸었다.

"저기…, 시몬 있나요?"

"시몬 소대장을 말하는가? 아직 마물 작전에서 돌아오지 않았어."

"그렇군요…."

"혹시 혼자서 여기까지 걸어온 건가? 남쪽에 있는 흔들다리는 산적이 나타나 니까 가지 않는 게 좋을 거야. 그 녀석들 지금까지 여자를 해친 적은 없었는데, 어제 떠돌이 극단이 산적에게 습격당했거든. 우리가 달려가서 구해주긴 했는데 무희 비비가 다치고 말았어.

그 상태로는 오늘 밤, 무대에 오르기 힘들 거야."

【단서 보에 '다친 비비', 지시 번호 보에 30이라고 기입】

475

변방의 마을에서 북쪽에 위치한 절벽은 네네의 마을에서 도깨비의 벽이라고 부르던 곳이다. 네네는 그 협곡 아래에 서 있다.

화강암이 많이 포함된 바위산으로 옅은 회색을 띠고 있으며, 군데군데 비가 스 며들어 검게 변했다. 밤이 되면 그 얼룩이 도깨비로 변해서 출몰한다고 마을에 전해지고 있으며, 실제로 그 주변에서 기묘한 생물을 발견했다는 사람도 끊이지 않았다.

'내가 쓰러져 있던 절벽…. 떠돌이 상인이었던 아버지가 나를 구해주지 않았다 면 나는 여기서 죽었을 거야.'

네네는 절벽으로 다가갔다.

➡ 절벽으로 다가간다. → 424로

네네는 빛이 나는 지팡이를 휘둘렀다. 그러자 눈앞에 있던 바다가 갈라지면서 파도가 좌우로 나누어지기 시작했다. 안개가 걷혀 시야가 넓어지자, 인도의 사당 뒤쪽에서 서쪽 유배섬으로 이어지는 길이 나타났다. 네네는 갈라진 바닷길을 따라 유배섬으로 갔다.

세찬 바람이 불어 닥친다. 섬에는 금방이라도 무너질 듯한 오두막 한 채가 서 있었다.

【단서 **히**에 '바닷길', 지시 번호 **히**에 68이라고 기입】
【MAP 6의 '비밀의 오두막'에 495라고 기입】

짐승의 숲에는 맹수의 포효와 새들의 울음소리가 퍼지고 있었다.

'여긴 마치 지옥 같구나.'

네네가 숲속으로 들어가기를 단념하려던 순간, 숲 건너편에서 가볍고 마음이 정화되는 듯한 종소리가 울려 퍼졌다.

'좋은 소리…'

네네는 그 음색에 넋을 잃을 것만 같았다. 점점 잦아드는 종소리에 맞춰 짐승들의 날카로운 절규가 잦아들었다.

'지금 종소리…, 누군가 안식의 종을 울린 거야!'

숲의 혼란스러움이 삽시간에 조용해졌다.

산들바람이 나뭇잎을 스치고 새들은 귀를 간질이는 듯한 아름다운 목소리로 노래했다. 네네는 주저하지 않고 숲속으로 발걸음을 내디뎠다.

남쪽으로 한참을 걷다 보니 우거진 나무 사이로 망루 한 채가 보였다.

'저곳이 안식의 탑이구나. 저기에 첫 번째 오브가 있어.'

➡ **숲을 빠져나간다.** → 381로

478 ↪ 500

네네는 다리를 건넜다. 다리 아래에서는 카이가 낚시를 하고 있다.

479 ↪ 385

누군가 지켜보고 있는 듯한 기운을 감지한 채 네네는 흔들다리를 건넜다. 하지만 그 앞에는 험난한 산길과 우거진 숲이 버티고 있는 탓에 더는 이동할 수가 없었다.

480 ↪ 454

"네네, 오브를 빼앗겨서는 절대 안 된다. 신의 사명을 완수하지 못하면 이 섬의 미래는…."

"닥치지 않으면 그 목숨줄을 끊어 놓겠다!"

남자는 촌장의 멱살을 쥐고 목에 칼을 들이댔다. 그때, 멀리서 가벼운 음색의 종소리가 들려왔다. 남자는 갑자기 칼을 떨어뜨리고 머리를 감싸 쥔 채 고통스러워했다.

"하지 마! 나는 종소리가 제일 싫어."

남자는 창백해진 안색으로 금방이라도 쓰러질 것 같았다. 네네와 촌장은 영문도 모른 채 발버둥 치는 강도를 그저 멍하니 바라보았다.

반복해서 울리는 종소리. 버틸 재간이 없던 남자는 귀를 틀어막고서는 어디론가 사라져 버렸다.

네네와 촌장은 안도와 함께 떨리는 다리를 주체하지 못했다.

"…사람들의 마음도 흐트러지고 있구나. 이것도 섬의 변화와 관계가 있을지도 모르겠구나."

"빨리 오브를 모두 찾아야겠어요…."

촌장은 오브가 잠들어있다는 오아시스의 동굴이 있는 곳을 알려주었다.

"동굴 속은 매우 위험하단다. 무턱대고 들어가서는 안 된다."

【단서 구에 '도망친 강도', 지시 번호 구에 93이라고 기입】
【MAP 2의 '오아시스의 동굴'에 305라고 기입】

"멈춰!"

네네와 교황은 목소리가 들린 쪽으로 고개를 돌렸다. 바람이 한바탕 불어닥치고, 흩날리는 먼지 속에서 은백색의 갑옷을 입은 늙은 기사가 모습을 드러냈다.

"시몬!"

"늦지 않았구나. 네네."

"역시 살아있었군요!"

"휴고와 야코피가 구해주었다. 이제 물러서. 부정한 녀석을 다스려야만 하니까."

"크크크…, 늙은 기사 따위가. 회개하거라!"

"교황이여…, 함께 싸웠던 날이 눈에 선하다. 욕망에 눈이 멀다니…, 한심하구나. 나의 이 검으로 너를 단죄하겠다!"

두 사람은 서로를 노려보며 빈틈을 살핀 채 미동도 없이 서 있었다.

네네는 시간이 멈춘 것 같다고 생각했다.

먼저 움직인 사람은 교황이었다. 교황의 전광석화와 같은 검술이 시몬의 콧날을 스쳤을 때는 이미 시몬의 칼날이 교황의 몸을 가른 뒤였다.

승부는 한순간에 끝이 났다. 네네는 시몬에게 달려갔다.

"시몬! 정말 아슬아슬했어요!"

"핫핫핫. 길을 약간 헤맸거든. 그럼 네네, 마지막 사명을 완수할 때가 왔다. 그 임무를 수행할 수 있는 사람은 그대뿐이니까."

"반드시 신의 기억을 되찾을 거예요. 고마워요, 시몬!"

네네는 오래된 지하수로로 내려갔다. 좁은 지하도를 따라가자 막다른 곳에 계단이 있다.

네네는 계단을 올라 천장을 열었다. 그곳은 마을 중앙의 섬이었다.

"여기가 비밀의 장소…. 이 장소에 누군가 올 거야. 그 기억대로라면…."

【단서 ▨에 '교황을 단죄하다', 지시 번호 ▨에 6이라고 기입】

➡ 기다린다. → 411로

482 ➡ 316

네네는 벽을 두드려보았다. 돌을 쌓아서 만든 견고한 벽으로, 도저히 무너뜨릴 수 있을 것 같지가 않았다.

'비밀의 방은 이 반대편인 걸까…?. 여기서는 들어갈 수가 없을 것 같은데….'

483 ➡ 364

네네는 에르카에게 말을 걸었다.

"어디에선가 본 적 있다고 생각했더니 서쪽 마을 선착장에 있던 집배원이시네요."

"어어, 오랜만이군. 덕분에 내 일도 무사히 마쳤어. 그리고 보니 산속 마을에서 돌아오는 배에서 큰 일이 있었어. 서쪽 선착장에서 멀리 떨어진 곳의 바다에서 표류하던 남자가 발견되었거든! 그 남자는 너덜너덜한 죄수복을 입고 있었는데 휴고 선장이 데려갔어."

"…남자 죄수…. 그, 그 사람 이름이 뭔가요?"

"이름? 뭐라더라…. 야코라던가, 피코라던가…."

"야코피!?"

"그래, 그거야. 아직 휴고의 집에서 간병하고 있을 거야. 어? 어떻게 이름을 알고 있는 거야?"

【단서 **파**에 '구조된 죄수', 지시 번호 **파**에 68이라고 기입】

484 ➡ 307

네네는 벼랑 위의 성당에서 붙잡혀 감옥 요새에 수감되었다.

손발은 자유롭지만, 갖고 있던 소지품은 모두 빼앗기고 말았다.

'신선에게 오브를 맡겨서 다행이야. 아무튼 어떻게 해서든 결투 시합에 출전해야만 해…. 우선 이 감옥방을 나가야겠어.'

네네는 철창 사이로 주변을 둘러보았다. 교도관은 없는지 보이지 않았다.

➡ **벽을 살펴본다.** → 444로

➡ **탁자를 살펴본다.** → 273으로

481
482
483
484

485 ↪ 376

네네는 깜짝 놀라 눈을 뜨고는 서둘러 거석에서 도망쳤다.

'지금 그건…, 악마이거나 요정? 분명 요괴 이야기나 요정 이야기를 많이 알고 있는 사람이 있었던 것 같은데…. 그 사람에게 물어봐야겠어.'

【단서 **카**에 '춤을 추게 하는 요정', 지시 번호 **카**에 16이라고 기입】

486 ↪ 406

손잡이를 돌리자 문이 쉽게 열렸다.

"어라? 이런 일이 다 있구먼…."

네네와 시몬은 성당 뒤뜰로 나왔다.

➡ 아래 그림을 참고해서 탐색하라.

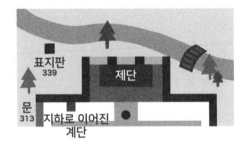

487 ↪ 500

네네는 카이의 집을 찾아갔다. 카이는 어려워 보이는 책을 읽고 있다.

"무서운 꿈을 꿨어…."

"무서운 꿈…, 네네, 마을의 비밀에 관해 알고 있어?"

"몰라."

"그 비밀을 밝히고 신에게 기도하러 가자. 더 이상 무서운 꿈을 꾸지 않도록 해달라고 말이야."

【소녀의 기록란 28에 '기도를 한다'라고 기입】

488 ⮌ 465

돌문은 열려 있었고 마침 기사 시몬이 들어가는 뒷모습이 보였다.

"시몬!"

네네는 큰소리로 외쳤지만 시몬에게 들리지 않는 모양이었다. 네네는 기사 시몬을 따라 궁전 안으로 들어갔다.

궁전 내부는 뭐라 설명할 수 없는 오싹한 기운이 들어 네네는 저도 모르게 뒤로 물러났다. 시몬의 모습은 어디에서도 보이지 않는다. 정면에는 약간 솟아오른 바닥이 있고 그 건너편 대리석 의자에 소머리를 한 반인반수의 마물이 앉아 있다. 마물은 네네를 발견하자 굵직한 목소리로 말했다.

"손님이 꽤 많은 날이로군. 지금부터 식사 시간이다. 나중에 다시 오도록 해. 너는 이쪽 함정으로 들어가."

마물이 천장에 매달린 끈을 잡아당기자 발밑의 바닥이 열리더니 네네가 지하로 떨어졌다.

천장은 원래대로 닫혔다.

네네는 강한 충격을 받은 허리에 손을 얹고 자리에서 일어섰다. 그곳은 창고처럼 보였다.

'마물 녀석, 갑자기 이런 곳에 떨어뜨리다니…. 잘 봐두라고!'

➡ 386으로

네네는 교도관의 방으로 들어갔다. 책상 위에는 신입 교도관의 일기가 놓여있다. 네네는 그 일기를 읽어 내려갔다.

> **2층 감옥방은 시계 방향으로**
> **'미노타우로스의 감옥'**
> **'케르베로스의 감옥'**
> **'수토라스의 감옥'**
> **'에키드나의 감옥'**
> **'아몬의 감옥'**
> **'파주주의 감옥'**
> **'임프의 감옥'**
> **'라미아의 감옥'**
> **'나가의 감옥'**
> **'고블린의 감옥'**
> **'포이닉스의 감옥'**
> **'루시퍼의 감옥'**
> **이라는 이름이 붙어있다.**
> **2층은 시간의 공간이라고 하며 북에서 시간을 세기 시작한다.**

'이렇게 긴 걸 외울 수 있을 리 없잖아. 앞글자가 모두 다르니까 그거로 외워야겠어. 미케수에아파임라나고포루. 후우, 그래도 힘들다. 그리고 북에서 시간을 세기 시작한다고? 이런 정보가 교도관에게 필요한 건가?'

【소녀의 기록란 19b에 '미케수에아파임라나고포루', 19c에 '북에서 시간을 세기 시작한다'라고 기입】

네네는 천막을 걷어 젖히고 이동 극장 안으로 들어갔다.

분장실 옆에 있는 작은 방에는 형형색색의 의상이 걸려있다. 화려한 의상, 요염한 의상, 기사와 농민의 의상까지 있다.

분장실에는 단장으로 보이는 수염을 기른 남자와, 발에 붕대를 감은 젊은 무희가 있다.

"부상은 좀 괜찮은가요?"

네네를 발견한 단장과 무희가 뒤를 돌아보았다.

"너는…?"

"아…, 마음대로 들어와서 죄송합니다. 비비 씨가 다쳤다는 이야기를 듣고…."

"들켜버렸으니 할 수 없군…. 맞아. 보시다시피 비비가 다리를 많이 다쳤어."

단장은 한숨을 내쉬었다.

"오늘 밤 쇼는 많은 사람이 기대하고 있었는데…."

"나, 춤출 수 있어요! …아야야!"

비비는 일어나려고 했지만, 다리의 통증을 견디지 못하고 금세 자리에 주저앉아버렸다.

"비비, 무리하면 안 돼. 간단한 동작이라면 할 수 있을지도 모르지만, 주인공의 격렬한 댄스는 힘들 거야…. 그나저나 모두 비비의 무대를 기대하고 있었는데…. 난처하게 됐군…."

단장은 미간을 찌푸리고는 수염을 자꾸만 꼬다가 갑자기 묘책이 떠올랐는지 네네의 얼굴을 빤히 쳐다보았다.

"…체격이 비비와 아주 비슷해. 그대는 혹시 춤을 출 줄 아는가?"

"저…, 제가요?"

"그 발등하며, 목덜미에서 어깨로 이어지는 선…. 혹시 춤을 춰 본 경험이 있나?"

"마을의 전통춤이라면…."

"꺅! 한번 보여줘!"

"으…, 응…."

네네는 쑥스러워하면서도 항상 아버지가 불어주던 피리 선율을 상상하며 춤을 추기 시작했다. 어딘가 이국적인 변방의 무용은 신비롭고 독특한 정서를 뿜어내고 있었다.

"멋있어~! 처음 보는 무용이야! 정말 대단해!"

"그래, 완벽하다! 이제 악단과 제대로 맞춰보기만 하면…."

"그…, 그런가요?"

"혹시 비비 대신 무대에 올라 준다면 여기에 있는 의상 중 마음에 드는 것을 주지! 내 부탁을 들어줄 수 있을까?"

➡ 거절한다. → 336으로

➡ 승낙한다. → 418로

'아직 시몬은 돌아오지 않은 걸까…'

네네는 관사를 들여다보았다.

"네네…? 네네가 아닌가?"

네네가 뒤를 돌아보자 말을 타고 있는 기사 시몬이 관사에 막 들어오던 참이었다.

"시몬! 당신을 찾고 있었어요!"

"오오, 무사한 듯 보여서 다행이구나!"

"마물 퇴치 작전은 끝났나요?"

"핫핫핫. 나에게 걸리면 마물 따위…"

"그 마물, 깊게 잠들어 있지 않았나요?"

"윽. 어째서 그걸…?"

"그리고 어촌 예배당에서 만났을 땐 왜 내 가방을 가지고 있었던 거죠?"

"음? 예배당에서? 그런 일이 있었던가…"

"배가 아파서 제대로 기억도 못 하나 보네요. 시몬, 이걸 한번 보세요."

네네는 시몬에게 사명의 편지를 보여주고 성당에 있는 오브를 달라고 말했다.

"이건…, 신의 문장! 하지만 이걸 보여주더라도 성당 안으로는 들어갈 수 없을 거다…"

"왜죠?"

"음…, 나는 요즘 로즈레이 기사단에 의문을 품고 있다. 성당에서 오브를 본 적은 없지만…, 내가 도움이 된다면 함께 가 주마."

"고마워요! 나, 기사의 옷이 있으니 그걸 입고 갈게요."

시몬은 무언가를 골똘히 생각하는 듯한 표정을 지었다.

"뭔가 잘못 되었나요? 시몬."

"…아니, 아무것도 아니다. 가자, 벼랑 위의 성당으로!"

【단서 **시**에 '기사 시몬', 지시 번호 **시**에 96이라고 기입】

네네는 이동 극장의 분장실을 찾아갔다. 비비의 부상은 말끔히 나아 있었다.

네네는 거석의 요정 지젤에 대해서 설명한 다음 함께 춤춰 달라고 부탁했다.

"네네의 부탁이라면 들어주고 싶은데 나 귀신 이야기 같은 거 너무 끔찍해!

어머! 이거 봐! 이야기를 듣기만 했는데도 다리가 떨리잖아. 그곳에 가면 분명 춤추기도 전에 죽어버릴 거야. 꺄악!"

'평범한 여자라면 모두 그럴 거야. 조금 더 대담한 무희가 없을까…?'

493 ⤷ 402

'그 학자가 촛대를 살펴보라고 했었 어.'

네네는 학자에게 받은 횃불에 불을 붙인 후 암벽에 비춰 보았다.

바위를 깎아서 만든 촛대가 있었고, 자세히 들여다보니 안쪽에 있는 돌이 움직이는 것 같았다. 네네는 그 돌을 밀 었다. 그러자 촛대 아래의 벽이 무너지 더니 숨겨진 통로가 나타났다.

줄사다리가 지하로 이어져 있는 것 같았다. 사다리는 금세 끊어질 정도로 위태 로워 보였지만, 네네는 조심스럽게 어둠 속으로 내려갔다.

7, 8m 정도 내려갔을까. 발이 지면에 닿았고 네네는 횃불로 주변을 비춰 보았 다. 좁은 통로가 곧게 뻗어 있었다.

➡ 지하 2층으로 간다. → 432로

494 ⤷ 271

마도서와 주술이 적힌 책이 꽂혀 있다. 네네는 약 제조법이 적힌 책을 꺼내 읽 어 내려갔다.

> 사랑의 묘약은 E와 L과 O와 V를 섞으면 만들 수 있다.
> 수면제는 SLEEP

그 뒤로는 찢겨 있어 읽을 수 없다.

'…그 마물, 지금부터 식사 시간이라고 했던 것 같은데. 수면제를 만들어서 저 주방에 올려 두면…'

➡ 수면제를 만들어서 나타난 숫자에 해당하는 단락으로

유배섬은 척박한 땅과 짧은 풀, 바위만이 자리 잡고 있으며 나무는 한 그루도 자라지 않아 황량했다. 돌풍이 불어 닥치는 섬 한가운데에 남루한 오두막이 간신히 버티고 서 있다.

➡ 안으로 들어간다. → 322로

네네는 집터에 서서 흩어져있는 벽돌 조각을 둘러 보았다.

'여기…, 왠지 낯설지가 않아. 분명 이 근처에….'

조금 남아있는 외벽에 의문의 수식이 새겨져 있었다.

 = 3

네네는 쌓여 있는 벽돌을 치웠다. 그러자 바닥에는 지하로 통하는 계단이 있었다. 지하실도 파괴되어 있었지만, 작은 책상의 서랍 속에는 일기가 남아 있었다. 네네는 일기를 펼쳤다.

▨▨▨▨ 와 함께 마을 이곳저곳에서 놀았다.

그리고 이상한 모양을 새겼다.

네 번째 지나온 장소는 두 번째 지나온 장소와 같았지만 다른 장소는 한 번밖에 지나오지 않았다.

일곱 번째에 ✕ 가 있는 장소에 간 것이 마지막이었다.

♩ 가 있는 장소는 연속해서 지났다.

◎ 가 있는 장소는 ✦ 가 있는 장소보다 먼저 지나왔지만 맨 처음은 아니었다.

◇ 가 있는 장소는 모두 세 번 지나왔다.

╱ 가 있는 장소는 ‾ 가 있는 장소 다음에 지났다.

3, 4, 5번째에 지나온 장소의 해답의 숫자는?

【소녀의 기록란 24f에 '집B ✕ ◇ ‾ = 3'이라고 기입】

➡ 수수께끼를 풀어서 나타나는 숫자에 해당하는 단락으로

497 ↪ 435

수풀 속에서 머리가 없는 괴물이 모습을 드러냈다. 네네는 괴물에게 말을 걸었다.

"혹시 네가 내 기억을 갖고 있니? 기억을 되돌려 줘."

"기…억…, 모두 돌려주면…, 죽게 돼…."

"조금이라도 좋아. 기억의 일부분만 돌려주더라도 상관없어."

괴물은 곤란하다는 표정을 지었다.

"나는…, 대체 누구일까? 이름은…, 뭘까…?"

"네 이름은 브렘이야. 박사가 그렇게 말했어!"

브렘은 네네를 빤히 쳐다보았다. 네네는 현기증을 느끼며 쓰러지고 말았다.

➡ **되살아나는 기억** → 319로

498 ↪ 370

마을 남동쪽에 유일하게 파괴되지 않은 집이 있다. 아무래도 최근에 지어진 건물처럼 보인다. 집에는 노인이 홀로 살고 있었다.

"오오, 이곳에 사람이 찾아오다니 오랜만이군…."

"할아버지는 여기서 무엇을 하고 계신가요?"

"나는 마을이 멸망했다는 소문을 듣고 이곳으로 왔지. 묘를 만들고 유해를 거둬 묻어주고 있다네. 이 마을을 파괴한 건 로즈레이 기사단이란다."

'기사단? 그럼 시몬이 말한 잘못된 판단이라는 게…'

"이 마을에는 신과 가장 가까운 장소에 대한 비밀이 감춰져 있었는데 비밀을 지키려던 마을 사람들은 기사단에게 모두 살해되고 말았지. 모든 것이 파괴되고 불에 타버렸어. 이제, 신과 가장 가까운 장소에는 영원히 못 가게 되어 버렸군…."

'그런 일이…'

➡ **주변에 대해서 물어본다.** → 281로

네네는 이동 극장의 분장실을 방문했다.

비비는 화장을 하다가 거울에 비친 네네를 발견하고는 뒤돌아서 네네를 끌어 안고 환영했다.

"꺄~! 네네! 잘 있었어? 아까 산속 마을에 사는 얀카 할머니에게 편지가 왔어! 지금부터 축하연을 하러 곶의 마을로 갈 거야! 시간이 있으면 네네도 곶의 마을 에 보러 와줘! 페텔 씨와 류류 씨라는 젊은 두 사람이 결혼식을 한대! 꺄~."

【단서 **티**에 '축하연', 지시 번호 **티**에 24라고 기입】

500

➡ 아래 그림을 참고해서 탐색하라.

인기폭발 리얼탈출게임의 서적판,
수수께끼풀이가 접목된 신개념 게임북 등장!

절묘하게 연결된 수수께끼 시스템과 텍스트로
디지털 게임으로는 맛볼 수 없었던 최고의 스토리를 책으로 즐길 수 있습니다.

선량한 마을 사람들이 살해되는 것을 막고, 늑대인간이 누구인지 밝히기 위해서는
당신의 모든 능력을 총동원해야 합니다.
결코 쉬운 일이 아닐 것입니다.

책갈피

게임북

수사 시트 5일분
(뒷면은 신문)

우크메르 마을지도
(뒷면은 용의자 리스트)

사람으로 변장한 늑대가 밤마다 마을을 습격한다.
늑대를 찾지 못하면... 죽는다!

대대로 전해진 의문의 전설, 모호한 목격 증언, 알 수 없는 퍼즐들...

당신은 이 책에 감춰진 모든 수수께끼를 풀고,
늑대인간을 밝혀내어 엔딩 스토리에 도착할 수 있을 것인가?

리얼탈출북 시리즈 제3탄,
수수께끼 가득한 미스터리 스토리!!

살인 사건이 일어난 저택의 시시각각 변화하는 상황 속에서
당신은 기억을 더듬어 탐험하고, 저택에 있는 열 명 중 범인을 찾아야만 합니다.
책에 수록된 퍼즐은 한층 더 복합적이고 날카로운 영감이 필요할 것입니다.

게임북

잘라 쓰는 아이템(3종)

**해답 시트
1~5**

저택 Map(양면)

**수사 시트
(뒷면은 기억 시트&용의자 리스트)**

문득 정신을 차리니 흔들의자에 앉아 있는
시체가 당신을 응시하고 있다.

그러나, 당신은 아무것도 기억나지 않는다.
음산한 저택, 수상한 인물들, 뜻을 알 수 없는 퍼즐…

당신은 이 책에 숨겨진 모든 수수께끼를 풀고
이야기의 엔딩을 맞이할 수 있을 것인가?

'Escape from Twin Islands'

STAFF (JAPAN)

Direction	Takao Kato (SCRAP)
Assistant Direction	Saori Yoshimura (SCARP)
Scenario Writing	Koji Shikano
Art Direction	Hiroaki Ohta (Marble.co)
Design	Hiroaki Ohta (Marble.co), Tomoko Yoshimi (Marble.co)
Illustration	Hiroaki Ohta (Marble.co), Hiroshi Kuboe (Marble.co)
Mystery Creation	Takao Kato (SCRAP), Ichiro Sengoku (Josee Design)
Puzzle Creation	Ami Mita (Puzzle Girls), Fumiko Shimizu, Hiroki Mita,
	Hirotaka Nagakura, Ichiro Sengoku (Josee Design),
	Koji Koseki, Minami Akila, Shoko Saito, Yuhei Ogashira
Editor in Chief	Hideo Uchiyama (Rittor Music)
Editor	Masami Otsuka (Rittor Music)

STAFF (KOREA)

Translation	Kim Hong ki (Intelligent Trans Lab), Kim Seo yeun, Choi Si won
Localization	Yoon Eun ho
Contents Testing	Kim Gi bok, Choi Jae sik, Han Jeong gu,
	Han Yeong jae, Kim Dong yong
Design Localization	Lee Ji sun (iCox)
Editor in Chief	Han Joon hee (iCox)
Special Thanks to	Lee Jong doo, Kim Nam gwon, Cho Yong hoon,
	Bak Yun seon, Kim Jin a
	Bae Jeong a, Gong Young seon (Shinwon Agency)
	Kim Jeong jin (Oak Printing)
	... and You

FUTAGO JIMA KARA NO DASSHUTSU

Copyright ©2013 SCRAP and Koji Shikano
Originally published in Japan in 2013 by RITTORSHA/RITTO MUSIC, INC., Tokyo
Korean translation rights arranged with RITTOR MUSIC, INC.
through Shinwon Agency Co., Seoul
Korean translation rights ©2019 by iCox

쌍둥이섬에서 탈출
❷ 소녀의 책

초판 1쇄 발행 2019년 7월 20일
초판 3쇄 발행 2024년 1월 10일

지은이 SCRAP & Koji Shikano
옮긴이 김홍기
펴낸이 한준희
펴낸곳 (주)아이콕스
디자인 이지선
영업지원 김효선, 이정민
영업 김남권, 조용훈, 문성빈

iCox
LET'S PLAY BOOKS

주소 경기도 부천시 조마루로385번길 122 삼보테크노타워 2002호
홈페이지 www.icoxpublish.com
쇼핑몰 www.baek2.kr (백두도서쇼핑몰)
이메일 icoxpub@naver.com
전화 032-674-5685   **팩스** 032-676-5685
등록 2015년 7월 9일 제386-2510022015000034호
ISBN 979-11-6426-075-1
         919-11-6426-073-7 (세트)